I Delfini Fabbri Editori

Premio Andersen
Il Mondo Dell'Infanzia 1994

Robert Westall

Un gatto è un gatto

Postfazione di Antonio Faeti

Fabbri Editori

I Delfini
collana diretta da Antonio Faeti

Titolo originale: A WALK ON THE WILD SIDE

Traduzione di Alessandra Padoan

© 1989 The Estate of Robert Westall
Pubblicato in Gran Bretagna nella presente edizione
da Mammoth, marchio di Egmont Children's Books Ltd

© 2000 RCS Libri S.p.A., Milano
I edizione I Delfini Fabbri Editori settembre 2000

ISBN 88-451-2250-6

Bottoni

Considerando la loro battaglia finale, è strano che il gatto Bottoni e Kerry Turnbull, il miliardario australiano, siano dovuti entrare nella mia vita nello stesso giorno.

Badate, all'inizio il gatto non si chiamava Bottoni. Per noi era solo "quel dannato micio". Dovette guadagnarsi sul campo il suo nome e la sua fama.

Si presentò alla mia porta un tardo pomeriggio di ottobre, in braccio a Scott Walker, un tredicenne con del tempo da perdere, una bicicletta, un paio di occhi molto acuti e un cuore grande abbastanza da accogliere ogni gatto randagio del paese. Questo gli causava problemi a casa, e quando i problemi diventavano troppo grossi, li scaricava a me. Autentico gonzo per quel che riguardava i gatti, i suoi occhi acuti avevano ben presto riconosciuto in me un compagno di sventura.

Il campanello suonò mentre mi stavo preparando per l'incontro annuale della Lega Cricket, con annessa cena a base di stufato. Per la cronaca, io sono il capitano della squadra locale, il Preston Green. Insomma, andai alla porta ancora senza scarpe, e mi trovai davanti Scott con un altro fagottino denutrito di pelo aggrappato al maglione.

Questo particolare fagottino di pelo si girò e mi guardò dritto negli occhi da una distanza di circa mezzo metro. Ciò è insolito perché, per i gatti, lo sguardo diretto è l'estrema sfida-diffida. Ma negli occhi di Bottoni non c'era ombra di minaccia. Vi lessi invece la disincantata circospezione raggiunta solo da monelli scaltriti dalla vita in strada e anziani preti cattolici. Mi soppesò senza paura né speranza; scrutò la mia anima e mi etichettò come uno facile da abbindolare. A quel punto, non mi restava altro da fare che tenermelo. Qualunque protesta, motivata dall'avere già quattro gatti, mi si gelò sulle labbra. Per mia fortuna, avevo una moglie comprensiva e diversi capanni nel cortile di casa.

Confesso che portai Bottoni dritto in cucina da mia moglie e me ne dimenticai bellamente, andandomene tranquillo e beato alla mia cena. Era sempre un'occasione allegra per concludere una stagione, e dava ai segretari delle squadre la possibilità di sistemare eventuali pasticci nel calendario degli incontri dell'anno successivo. Ma quell'anno ci andai con particolare interesse, perché il Gunton Cricket Club era appena stato acquisito da Kerry Turnbull. Aveva comprato Gunton Manor per insediarvi la sua nuova società di informatica, e disponendo di un campo d'avanzo, lo aveva offerto al club, dopo aver assunto Harry Coe, capitano del Gunton, come suo giardiniere-capo.

Era un'offerta che il povero Harry non avrebbe potuto rifiutare. Ma si promettevano miracoli. Un campo liscio come un tavolo da biliardo; un tabellone segnapunti elettronico che avrebbe dato a ciascun giocatore un tabulato semplicemente premendo un bottone; spogliatoi nuovi con docce a getto aghiforme; un addetto alla manutenzione a tempo pieno; e perfino megaschermi professionali della stessa marca che li forniva a Lord...

Qualcuno sosteneva che quelli del Gunton si stavano vendendo per un piatto di minestra. Secondo altri, avevano fatto benissimo a prendere la palla al balzo, visto che prima giocavano nel campetto del loro paese: il che può sembrare idilliaco, se si sorvola sulle lattine di Coca, i sacchetti di patatine e le cacche di cane che pesti mentre tenti una presa a centrocampo. E i loro spogliatoi in origine erano un convalescenziario per reduci della Prima Guerra Mondiale; non ci pioveva dentro solo grazie all'impiego massiccio di carta catramata. Il solo motivo per cui li tolleravamo era che occupavano sempre allegramente il fondo della classifica, risparmiando a noi quella particolare umiliazione...

Kerry Turnbull era ansioso di farsi degli amici, quel primo anno. La cena normalmente si teneva a Mayston, in un ristorante, ma Turnbull ci aveva offerto un'abbuffata gratis nella mensa del personale a Gunton Manor, e naturalmente ne avevamo approfittato.

Prima ispezionammo doverosamente le decantate meraviglie. Il campo era verde, liscio e striato come l'immagine su un pacchetto di fertilizzante per prati all'inglese. Gli schermi recavano effettivamente il Famoso Nome inciso su targhette di ottone alla base. E sul tabellone elettronico, rosse lettere digitali sfolgoravano nel crepuscolo ad augurarci una buona serata alla più lieve pressione di un tasto. Un qualche tirapiedi bisbigliò che era stato progettato dallo stesso Turnbull, e nemmeno l'Oval - il grande campo sportivo di Londra - aveva niente del genere. La cena, nella mensa con aria condizionata e tavoli di mogano, non era forse alta cucina, ma nemmeno la si sarebbe potuta definire alla buona...

Poi il nostro ospite si alzò per un breve discorso di benvenuto. Era a dir poco imponente. Un armadio a quattro ante. Alto due metri, a occhio e croce, forse appena un filo di meno senza le scarpe. Un quintale buono, senza un grammo di grasso superfluo. Una faccia in cui la pesante brutalità neanderthaliana dei lineamenti era a malapena riscattata dai più piccoli, più rapidi e più freddi occhi grigi che avessi mai visto. Non per niente lo chiamavano il Grande Squalo Bianco dell'industria dei minicomputer.

Dopo qualche educata banalità, disse soltanto due cose: che il Gunton Cricket Club d'ora in avanti sarebbe stato il Gunton Manor Cricket Club, e che contava di ottenere un buon piazzamento nel prossimo campionato. Ma sembrò sufficiente a far correre un brivido lungo molte spine dorsali. Avevo la sensazione che giocare a cricket non sarebbe più stato divertente come prima.

Tornando a casa, gli altri si diedero alle invettive, cercando di farsi animo. Definirono il Gunton "il nuovo giocattolo di un riccone" e Kerry "una schiappa che si era comprato un posto nella squadra". Ma stavano fischiettando al buio.

Per me Kerry non aveva l'aria di una schiappa.

Aveva l'aria di un lanciatore australiano orribilmente veloce.

Quando arrivai a casa, Bottoni era comodamente accoccolato in grembo a mia moglie. Mi rivolse uno sguardo di freddo compatimento, come se avessi perso la mia grande occasione per essere al primo posto nel suo cuore.

«Questo micetto ha stabilito che la mano che impugna l'apriscatole domina il mondo,» dichiarò mia moglie. «Mi ha già estorto un'intera scatola di tonno.» Sorrideva, assurdamente compiaciuta della propria debolezza.

«Lo porto nel capanno con gli altri?» suggerii. Suppongo che fossi vagamente geloso, oltre che seccato per il prezzo del tonno. A mia moglie i gatti piacciono, ma normalmente non è che proprio straveda per loro.

«Oh, no!» inorridì. «Fa troppo freddo. Stanotte potrebbe arrivare una gelata, e lui è talmente piccolo... Credo che sia meglio farlo dormire in camera con noi, così potrò tenerlo d'occhio.»

«I gatti non possono stare in camera da letto! I gatti non possono stare in casa!» Ero indignato. Ancora sottosopra per Kerry Turnbull, ero pronto a litigare.

Ma Bottoni sembrò capire, in qualche modo. Saltò giù dalle ginocchia di mia moglie, barcollando un poco sulle zampette deboli. Poi annusò la borsa del lavoro a maglia appesa allo schienale della sua sedia. Diede un piccolo balzo patetico, e si inerpicò su per la borsa con gli artigli, lasciandovisi cadere dentro, sopra la lana, riverso sulla schiena. In un attimo dormiva beato, zampe all'aria, il muso atteggiato a quel sorrisetto affettato e soddisfatto che hanno i gatti quando dormono rovesciati.

Pensavo che mia moglie avrebbe dato in escandescenze: il lavoro a maglia è la sua passione. Invece disse, intenerita: «Deve averne fatta di strada, poverino. Tutto solo. Ed è così piccolo.»

Avrei dovuto capire l'antifona. Avrei dovuto farmi valere, prima che fosse troppo tardi. Ma segretamente confidavo che il dannato micetto avrebbe fatto uno scempio dell'amato lavoro a maglia di mia moglie, e allora lei sarebbe rinsavita.

Come mi sbagliavo. Non mi ero ancora reso conto di avere incontrato il mio secondo fondatore di un impero della giornata.

Il mattino dopo, a colazione, anche le mie figlie erano in brodo di giuggiole per il gatto. Prima lo prese in braccio Fiona, poi lo prese in braccio Sarah. Ben presto si contendevano i suoi favori, facendo dondolare furtivamente fettine di bacon sotto il tavolo per allettarlo. Appena furono uscite per andare a scuola, era di nuovo in braccio a mia moglie. E prima di andare al lavoro feci in tempo a vederlo sulle ginocchia della nostra domestica a ore, mentre stava seduta a bere la sua tazza di tè con tre zollette di zucchero, senza la quale non riusciva a mettersi in moto. Sembrava che quel gatto avesse il potere di far rincitrullire la femmina media. Suppongo che il motivo fosse lì da vedere: era piccolo, gracile, e aveva quegli enormi occhioni scuri. Quel che trovavo piuttosto spaventoso era che lui sapeva di essere fragile, e ne approfittava. Nella nostra società del benessere, la fragilità è la più forte delle armi. C'è un'anatra selvatica con un'ala spezzata che gironzola intorno allo Scoresby Mere, un laghetto vicino a casa mia. Mi faceva compassione, finché non mi sono reso conto che era l'anatra più grassa di tutto il laghetto. Ogni villeggiante di passaggio si premurava di far sì che avesse abbastanza da mangiare...

Comunque sia, Bottoni diventò il cocco di casa.

Mangiava a quattro palmenti, e crebbe molto velocemente. Finché raggiunse l'ultimo stadio dell'infanzia: quello dell'adolescente con le gambe lunghe. E lì si bloccò. Passavano i mesi, e moglie e figlie trepidavano, vedendo che non cresceva più, non aumentava più di peso. Feci notare che aveva il naso freddo, gli occhi vispi, ed era in perenne movimento, sempre in cerca di nuovi guai da combinare. Ma fu tutto inutile: mi toccò portarlo dal veterinario.

«Un trovatello, eh?» disse il veterinario. «È stato separato dalla madre troppo presto. Questo ha compromesso il suo sviluppo. Non diventerà più grande di così, ma per il resto è sano. Un bel gatto, anche. Potrebbe perfino essere di razza: un orientale rosso. Siete stati fortunati ad averlo per niente.»

E intanto ci giocherellava e lo coccolava, anche lui conquistato dall'astuto furfantello. E sì che di norma era un tipo piuttosto rude, un vero veterinario di campagna...

Guardai di nuovo Bottoni; immagino che le fette di salame della familiarità mi fossero improvvisamente cadute dagli occhi, perché solo allora vidi com'era cambiato. Quando era arrivato, era di un colore vagamente fulvo, offuscato dalla sporcizia del suo vagabondaggio. Adesso, il suo pelo era soffice e lucente, di un caldo color crema dai serici riflessi argentei, sul quale spiccava il rosa intenso che gli orlava le orecchie, correva lungo la spina dorsale e gli inanellava la coda, fino alla punta di un rosa più tenue. Appariva ancora fragile, ma decisamente bello. Niente affatto effeminato, ma di una mascolinità delicata, un po' dandy, con quegli immensi occhi scuri che contenevano tali profondità di sapere.

Lui ricambiò il mio sguardo con la consueta distaccata tolleranza. Sapeva che il mio era un cuore che ancora non gli era riuscito di rubare, e credo che questo lo irritasse leggermente.

È triste come, crescendo, i gatti perdano molte delle doti che sviluppano da piccoli. Quando sono ancora dei cuccioli, sanno correre di lato e all'indietro, come i gamberi. Riescono a saltare in verticale come degli Hawker Harrier, quando vengono attaccati. E si arrampicano lentamente sulle tende, una zampa dopo l'altra. Immagino che una volta adulti non trovino più di alcuna utilità simili talenti, e lì lascino decadere mentre sprofondano nella pesantezza della mezza età. Ma Bottoni era di gran lunga troppo scaltro per gettare via doni così preziosi. Era uno spettacolo guardarlo arrampicarsi su una palizzata di due metri con meditata lentezza, come un esperto alpinista.

Con la sua agilità, non solo attirava sguardi ammirati, ma ci guadagnava in sicurezza. Un mattino, mentre stavo strappando le erbacce dall'aiuola delle rose, lo vidi schizzare su per la recinzione che divide il nostro giardino da quello dei vicini e fermarsi in bilico sulla sommità. Un attimo dopo, un enorme pastore tedesco entrò dal cancello aperto col muso per terra, seguendo una pista. Andò dritto a fermarsi ai piedi della palizzata sulla quale era accovacciato Bottoni; annusò, ma non gli venne in mente di guardare in su. Intanto, Bottoni lo guardava sprezzante dall'alto, come dicendosi che i cani pensavano soltanto in due dimensioni, e i gatti in tre. Ma la cosa inquietante fu quando feci un urlaccio al cane per scacciarlo, e lui se ne andò attraverso un buco nella staccionata, passando nel giardino adiacente. Bottoni ruotò su se stesso, seguendo ogni suo movimento. Poi si lasciò cadere dall'altra parte della palizzata e cominciò a pedinare il grosso animale, con un'espressione di rapito interesse.

Nella mia vita, ho incontrato tre tipi di gatti. Ci sono gatti stupidi, che sono una spina nel fianco. Ho avuto un grosso maschio castrato che stava secoli a prendere le misure per un salto di mezzo metro, allungando il collo e dondolandosi avanti e indietro, poi saltava e mancava l'appoggio, cadeva goffamente e sgattaiolava via imbarazzato. Oh, sì, certi gatti sono davvero tonti, ma non per questo li ami di meno.

E ci sono gatti perfettamente adeguati, che seguono una routine fissa di caccia, ozio sotto il sole, passeggiate e dormite, ogni momento della giornata scandito da una precisa occupazione, come donne di casa indaffarate e pienamente soddisfatte. Come la mia Jemimah.

E infine, ci sono i gatti con un'intelligenza superiore, che sembrano intuire che nella vita c'è qualcosa di più dell'essere un gatto; qualcosa che a loro sfugge, e vanno in giro chiedendosi incessantemente che cos'è, alla ricerca di indizi. Sono loro a impensierirmi di più. A volte sogno che abbiano il dono della parola, così potrei spiegare loro l'universo, almeno per quel che sono riuscito a capirne io stesso.

Bottoni apparteneva a quest'ultima categoria. A volte, quando le mie figlie ridevano o litigavano, lui mi rivolgeva un'occhiata intensa, come per dire: «Si può sapere che diavolo sta succedendo?»

Ma non desisteva dalle sue ricerche, portandole avanti ovunque possibile. Come i suoi esperimenti sulla legge di gravità, quando saltava su una mensola o su un piano di lavoro e allineava molti piccoli oggetti lungo il bordo, e poi li buttava giù uno dopo l'altro, osservandone intento la caduta con rapidi movimenti della testa, e infine mi rivolgeva quel suo insistente sguardo interrogativo.

Oppure il suo interminabile lavorio con i rubinetti gocciolanti, che lo tenevano impegnato per un'ora alla volta, lasciandolo con la zampa destra e un orecchio inzuppati, ma senza essere venuto a capo di niente.

Lui non sonnecchiava mai, come fa la maggior parte dei gatti. Quando dormiva, dormiva sul serio, completamente esausto. Ma anche allora il suo naso fremeva, una zampa sussultava, come se avesse solo trasferito le sue tenaci ricerche in un'altra sfera di esistenza. Detestava annoiarsi. Quando era annoiato, mi lanciava una dura occhiata di accusa, come se lo avessi portato in un mondo che per lui era una delusione. Cominciai a temere che nel suo caso espressioni come "la curiosità uccise il gatto" potessero rivelarsi particolarmente fondate.

E poi cominciarono ad arrivare i resoconti delle sue imprese nel circondario. Mai niente di sgradevole, per carità: erano sempre storie simpatiche. Una vicina non poteva mettersi a fare giardinaggio senza che Bottoni immediatamente apparisse e, tenendole ferma la mano con una zampa, annusasse accuratamente la zolla di terra rivoltata; poteva riprendere il lavoro soltanto dopo che lui aveva strofinato per bene il muso conto l'estremità della paletta.

In un'altra casa, arrivava in visita ogni giorno alle dodici in punto, ripuliva la ciotola del gatto residente, poi saliva al piano di sopra a dormire il sonno dei giusti per un'ora esatta sul copriletto di seta.

E poi fu la volta della chiesa e dell'oratorio. Presso l'oratorio si tenevano regolarmente iniziative di vario tipo, e Bottoni non mancava mai. Gli piaceva in particolare assistere alle prove del gruppo femminile di danza campestre, disteso come un pascià sui cappotti ammassati sul palco, seguendo ogni passo e saltello delle donne con la testolina in eterno movimento. Durante l'intervallo riceveva la sua razione di latte e biscotti, e chiedeva di essere lasciato uscire cinque minuti esatti prima della fine.

Più sorprendente era il suo interesse per le riunioni del consiglio parrocchiale, alle quali presenziava allungato sul calorifero, osservando i gesti animati che accompagnavano gli appassionati dibattiti sulle tegole rotte da rimpiazzare. Il custode era stupefatto della sua puntualità. Non solo non mancava a un incontro, ma era lì ad aspettare che gli aprisse la porta cinque minuti prima dell'inizio. Poi prese ad andare anche a messa, sedendosi sui gradini ad accogliere i fedeli al loro arrivo, e poi di nuovo a salutarli quando se ne andavano, e standosene in ultima fila con i custodi durante la funzione. Le prime volte tentarono di mandarlo fuori; ma un gatto è un bel match per qualsiasi custode, quando ci sono panche sotto le quali correre, così alla fine lo lasciarono stare lì. E una volta che mancava da tre giorni, essendo rimasto chiuso dentro la chiesa, la moglie del curato rimase attonita trovandolo seduto sui gradini del presbiterio a contemplare la fiammella guizzante del lume del tabernacolo con tutta la paziente solennità di un giudice. Da allora per un po' lo chiamammo Pio, finché ricevette il suo nome definitivo.

Tutto iniziò con il televisore. Lo trovavamo acceso, senza che in soggiorno ci fosse nessuno, e sintonizzato su un programma perfettamente idiota che perfino le ragazze negavano indignate di aver mai guardato. Temendo un difetto del sistema di accensione dell'apparecchio o un poltergeist, tenemmo gli occhi aperti.

E un mattino presto, mia moglie fu ricompensata della sua tenacia. Vide Bottoni andare al telecomando posato sul tavolino e zampettarvi sopra. Il televisore si accese, saltò da un canale all'altro, variò volume e luminosità, mentre il gatto pestava sui bottoni, godendosi gli effetti speciali della sua regia felina. Di tanto in tanto, però, interrompeva le sue operazioni, specialmente quando facendo zapping si imbatteva in *Un uomo e il suo cane*; allora andava a sdraiarsi sopra il televisore e, allungando una zampa tollerante e indolente, dava pacche ai puntini neri che erano i laboriosi cani da pastore. Ci mettemmo poco a capire che doveva essere lui il responsabile anche di certe registrazioni di programmi improbabili, come *Balla con noi*, o televendite di tritarifiuti in stile vittoriano... Da allora fu tenuto fuori dal soggiorno, se non per intrattenere gli ospiti con le sue esibizioni.

Insomma, pareva proprio che avesse raggiunto l'acme della sua fama, per quel che riguardava il paese. Ma il meglio doveva ancora venire.

Alla fine di marzo, con l'apertura della stagione del cricket alle porte, quando i valorosi erano in campo ad allenarsi incuranti del gelo, e i meno arditi erano al pub a discutere di imprese passate, cominciarono a giungerci voci allarmanti sul Gunton. La vecchia squadra si era presentata nervosamente al nuovo impianto sportivo, e si era vista preceduta da nuovi arrivati. Brillanti giovani londinesi in inappuntabili divise di flanella bianca. Brillanti giovani londinesi che avevano giocato per le squadre dei rispettivi college e sembravano pensare che i loro posti di programmatori di computer e analisti di sistemi dipendesse dall'ottenere una buona media personale nella stagione entrante. C'era un ottimo lanciatore di nome C.M.A. Offaney che aveva giocato per la squadra di Cambridge tre anni dopo di me...

I giocatori locali non erano stati buttati fuori dalla squadra; semplicemente non avevano superato le selezioni, facendosi eliminare uno dopo l'altro sia in battuta che in lancio. Più tardi, Kerry Turnbull offrì loro da bere nella mensa del personale e, tra una pacca sulle spalle e l'altra, suggerì che entrassero nella sua squadra di riserva, non ancora posta in essere, ma già con un nutrito calendario di incontri in un campionato minore.

Essendo uomini di spirito, loro avevano rifiutato, preferendo tornarsene a coltivare porri giganti, o a cacciare e pescare di frodo. Nella squadra effettiva rimasero soltanto due del posto.

«Turnbull è ambizioso,» commentò Jack Strensham, il nostro segretario. «Scommetto che mira alla promozione in Doric League.»

«Be' io non starò a guardarlo fare i suoi porci comodi,» dichiarai. «Conosco anch'io qualche buon giocatore che si farebbe volentieri due tiri. Se vogliono giocare sporco...»

«Credo che ti permetteranno di farne giocare almeno due per ogni incontro, come ospiti,» annuì Jack. «Nemmeno io ci sto a farci calpestare da Turnbull. E anche ai ragazzi non piacerà tutta questa storia.»

Insomma, fu così che andò. Iniziata la stagione, presi l'abitudine di invitare un paio di utili guest star per il finesettimana, ci facemmo onore (eravamo sempre andati piuttosto bene, sempre tra i primi tre, comunque) e presto eravamo secondi in classifica.

Secondi dopo il Gunton. Con appena quattro settimane per prepararci alla finale.

Nel frattempo, Bottoni aveva scoperto la squadra di cricket, poiché il nostro campo era giusto dietro la chiesa. Là, individuò molte nuove attività. Le signore che si occupavano dei generi di ristoro per gli intervalli gli caddero ai piedi in un attimo, e Bottoni si vedeva elargire con prodigalità fette di prosciutto e piattini di latte. Ma non era mai stato un gatto avido. Non di cibo, almeno; lui era molto più avido di esperienze. Come risalire il ripido tetto di tegole del padiglione per ribattere indietro con lievi colpetti della zampa la piccola banderuola che era una copia in miniatura di quella del

Lord, mentre tutte le signore lo scongiuravano ansiosamente di scendere. Oppure si arrampicava con solennità sulle enormi querce inseguendo gazze che non si mostravano molto impressionate né dalle sue modeste dimensioni né dal suo incedere precario, e lo attendevano a pié fermo sui rami, affrontandolo da pari a pari e mettendolo in serio pericolo di rimetterci un occhio. Diverse volte intere partite furono fermate per convincerlo a tornare giù prima che si facesse male, e spesso le operazioni di soccorso vedevano in prima linea la squadra ospite. In una di quelle occasioni riuscì perfino a farci guadagnare una patta, quando eravamo in difficoltà. E aveva preso l'abitudine di inseguire l'unica palla su cento diretta verso la linea di fuoricampo che per qualche ragione gli stava a cuore difendere. Tuttavia si limitava a saltare intorno alla palla piuttosto che intercettarla direttamente, una volta scoperto quanto risultasse dura contro il suo naso. Il maggiore aiuto ce lo dava forse flirtando con i difensori avversari (per i nostri aveva perso ogni interesse subito dopo averli conquistati). Per due volte mi regalò quattro punti di fuoricampo del tutto immeritati, quando il difensore in questione si riscuoteva dall'incantesimo del gatto ammaliatore tra le grida frenetiche dei suoi compagni di squadra, dopo essersi fatto passare il mio lancio davanti al naso.

E poi, naturalmente, prese gusto anche alle trasferte. Non so se il giovane Scott Walker, il quale nel frattempo era assurto all'alto rango di assistente segnapunti, avesse qualcosa a che fare con questo; fatto sta che Bottoni sembrava sempre arrivare con la stessa macchina su cui viaggiava lui. Bottoni ebbe così occasione di esibirsi nel suo repertorio di trucchi di fronte a un pubblico ogni volta nuovo. Le prime volte temevo che potesse allontanarsi e perdersi, ma sembrava che sapesse sempre quando era ora di tornare a casa, e penso che Scott sarebbe morto piuttosto che andarsene senza di lui.

Poi cominciarono a girare voci ancora più allarmanti a proposito del campionato. Kerry Turnbull era un lanciatore veloce, come temevo. E non solo questo, ma a quanto pareva era un lanciatore veloce e spaventosamente impreciso, che nel cricket è la più sgradevole delle creature che ci si possa trovare davanti. Più che abbattere i wicket, mandava gente all'ospedale. E rideva pure quando lo faceva! Era un mostro. Inoltre, aveva accesi contrasti con gli arbitri dell'altra parte. L'arbitro della sua parte, naturalmente, era troppo impaurito per fiatare.

Con l'avvicinarsi dell'incontro col Gunton, i ragazzi erano sempre più in fibrillazione. Si mormorava con crescente insistenza che era il caso di scendere in campo corazzati. In qualità di capitano, decisi che valeva la pena di andare a vedere questo mostro in azione.

Il nostro incontro successivo era col Sanditon Bottoms, il nuovo fanalino di coda del campionato. Jack mi assicurò che la nostra squadra poteva cavarsela benissimo anche senza di me.

«Va' e studia per bene il bastardo, capitano.»

Così tornai a Gunton in tenuta da bracciante fuori servizio: jeans stinti, una T-shirt molto volgare con la scritta "Ama il prossimo tuo come te stesso, specie se è bello e dell'altro sesso" che mi era stata regalata da un nemico per Natale, e un paio di enormi occhiali da sole. Comprai una lattina di Coca, mi appoggiai alla ringhiera e dedicai tutta la mia attenzione al nemico in arrivo.

Erano una bella squadretta, in battuta. I giovanotti sapevano usare i piedi, come era stato loro insegnato a scuola. Dopo aver guadagnato un vantaggio schiacciante, dichiararono la fine dell'inning, prima che toccasse a Turnbull battere. Almeno aveva avuto la modestia di mettersi al numero otto. Evidentemente si stava risparmiando per i suoi lanci.

Dopo aver osservato tre dei suoi over, stabilii che io personalmente non avevo nulla da temere. Era veloce, molto veloce, il più veloce che avessi visto da quando avevo giocato contro lo Yorkshire per il Cambridge. Se qualcuno lo avesse preso in mano quando era giovane, avrebbe potuto essere un buon lanciatore. Ma Kerry in vita sua non aveva mai incontrato nessuno capace di prenderlo in mano.

Il suo gioco era troppo ruspante, per così dire. Le sue rincorse troppo lunghe erano un inutile dispendio di energie, sebbene lui ne avesse da vendere. E abbassava la testa prima di lasciar andare la palla. Alcuni dei suoi lanci finivamo miseramente tre metri più avanti. Almeno una palla per ogni over era irregolare perché troppo alta o larga, e ben poche arrivavano anche solo vagamente vicine al wicket. E non badava a dove metteva i piedi, violando spesso e volentieri le linee di demarcazione regolamentari. L'arbitro dell'altra squadra gli invalidò tre palle in rapida successione, e ci fu un animato diverbio in mezzo al campo. Dopo di che ci furono molte meno chiamate di "no ball". O Kerry stava cercando di lanciare in modo più corretto, o aveva terrorizzato l'arbitro abbastanza da sottometterlo.

E notai una cosa. Se nei primi cinque lanci di un over era andato particolarmente male, per l'ultimo rallentava, accorciava la sua corsa, e piazzava una palla dritta contro il wicket. I due wicket che aveva centrato erano appunto frutto di quelle ultime palle. Altrimenti, semplicemente riduceva i battitori ad ammassi di gelatina tremolante, in modo che il lanciatore che gli succedeva avesse gioco facile.

Oh, sì, mi ero studiato tutto per benino, standomene lì appoggiato alla ringhiera sotto il sole. Avevo già pronto il discorsetto da fare alla squadra martedì sera su come il mostro poteva essere domato.

E a quel punto, Turnbull ne mandò sul serio uno all'ospedale. Voglio dire, il malcapitato venne portato fuori di peso da due compagni di squadra, con le mani sulla faccia e il sangue che gli colava tra le dita... e il cronista sportivo del *Melbury Echo* era lì che incamerava avidamente ogni dettaglio. I titoli sarebbero stati stupendi...

Mi allontanai dal campo, pensieroso e scoraggiato, dopo la vittoria del Gunton con un centinaio di punti d'avanzo. E mentre me ne andavo, incrociai Harry Coe.

«Allora, signor Moralee, lo ha studiato bene il bastardo?» mi apostrofò, roco e speranzoso.

Con buona pace del mio travestimento da bracciante.

C'era un gran silenzio in macchina mentre andavamo a Gunton. E si sentiva odore di whisky, il che è sempre cattivo segno. Le mie guest star della settimana erano buoni lanciatori; decisi che la nostra unica possibilità era che vincessi il sorteggio per chi avrebbe deciso in quale posizione cominciare e mettessi il Gunton in battuta, dando così ai miei ragazzi il tempo di rianimarsi.

Il lancio della monetina lo vinsi, dopo che Kerry ebbe fatto del suo meglio per stritolarmi la mano nella sua enorme zampa. Speravo solo di essere ancora in grado di impugnare la mazza.

I miei due lanciatori fecero faville, mettendo in difficoltà i brillanti giovanotti del Gunton. Quando

Kerry arrivò, avevamo già un buon punteggio al nostro attivo.

Intanto Bottoni, fatto il giro dei miei giocatori e sentendosi alquanto annoiato per mancanza di stimoli, decise di ravvivare l'atmosfera esibendosi nel suo famoso balletto appresso alle farfalle lungo il confine del campo. Non le prende mai, ma provandoci fa dei salti magnifici, e viene molto ammirato per questo. E infatti stava distogliendo parecchia attenzione dal gioco. Proprio mentre Turnbull si preparava al suo turno di battitore, le signore del pubblico proruppero in uno scroscio di risa e applausi. Kerry alzò lo sguardo, e il suo cipiglio si fece ancora più truce quando si accorse di avere un rivale a contendergli l'interesse degli spettatori.

«Togliete dal campo quel maledetto gatto!»

«È la nostra mascotte,» borbottò Jack risentito, non abbastanza sottovoce. «Noi non giochiamo senza la nostra mascotte.»

A quelle parole, Kerry venne dritto da me, gridando. Io detesto che qualcuno faccia la voce grossa con me. Che diamine, non ero uno dei suoi tirapiedi! Sono un avvocato, e non fa parte del mio stile di vita venire aggredito a quel modo. Ma gli dissi, abbastanza civilmente, che era impossibile prendere Bottoni in uno spazio aperto. Lo sapevo per esperienza. Ci aveva provato l'intera squadra, una volta.

Kerry mi diede dell'inglesucolo rammollito, poi

partì lui stesso alla carica con un ruggito terrificante.

Bottoni trovava che sfuggirgli e basta sarebbe stato troppo facile e tedioso. Continuava a lasciare che Kerry quasi lo prendesse, e all'ultimo momento schizzava via fra le sue braccia protese. Alla fine, trascinato dall'impeto di un ennesimo assalto andato a vuoto, Kerry fece un capitombolo, e tra il pubblico corse un brusio di risolini soffocati.

Bastò uno sguardo di Kerry perché tutti si zittissero. Non ho mai visto al mondo niente di cattivo come l'occhiata con cui Kerry gelò la timida ilarità di quella brava gente.

Subito dopo Kerry fece un cenno, e ogni membro della sua squadra, ogni programmatore di computer e analista di sistemi tra il pubblico, ogni moglie di dipendente, ogni addetto al catering, direttore commerciale e segnapunti scattò all'inseguimento di Bottoni.

Il gatto se la godeva un mondo. Mai, nemmeno nelle sue fantasie più sfrenate, si sarebbe sognato un simile divertimento. Durò per circa venti minuti, finché Scott si fece avanti parlando con calma a Bottoni, il quale si lasciò prendere in braccio e portare in macchina.

A quel punto, tornammo rinfrancati al nostro gioco.

Kerry Turnbull fu eliminato al primo colpo dal mio lanciatore, che non contento completò l'opera abbattendo tre wicket di fila. Il Gunton era al suo minimo storico della stagione. Kerry passò l'intervallo del tè prendendosela con il gatto e dicendo che avrebbe presentato un esposto alla Lega. I nostri erano sulle spine, i loro sui carboni ardenti. Non fu una pausa molto rilassante.

Una volta ho visto un film su un pugile che si chiamava *Toro scatenato*. Non ricordo chi fosse il pugile, o quale attore lo interpretasse, ma il titolo mi è rimasto impresso, e non potei fare a meno di associarlo a Kerry Turnbull quando lo vidi guidare in campo la sua squadra dopo la pausa del tè. O Gengis Khan, Jack lo Squartatore... c'era solo l'imbarazzo della scelta. E a proposito di film, anche *Sangue e arena* era piuttosto evocativo...

La nostra squadra era in battuta. Negli spogliatoi, i miei ragazzi stavano tirando fuori caschi completi di maschera di fil di ferro, e si corazzavano con grosse riviste infilate sotto i vestiti intorno alle costole... Riuscii a trascinare un altro battitore sul pitch solo accettando di fare io il primo turno.

Kerry fece il suo lancio di apertura con una rincorsa più lunga che mai. La palla rimbalzò a due metri da lui, mi venne incontro pigra e goffa, e io la schiaffai fuoricampo, segnando sei punti belli secchi. Mai in vita mia avevo fatto qualcosa di così poco saggio, e così soddisfacente. La mia squadra impazzì di gioia. Il che non migliorò l'umore di Kerry, né il suo autocontrollo. Non fece un solo lancio che si avvicinasse al wicket, uno fu invalidato, e fra tutto in quel primo over la mia squadra aveva mietuto ventidue punti. Non mi ero mai sentito tanto felice. Finché l'arbitro gridò "over" e mi resi conto che dovevo lasciare Stan Fairclough a battere, con un casco che non era abituato a portare e gli disturbava la visuale, e almeno una grossa rivista sotto la maglia.

Con tali distrazioni, fu sorprendente che fosse durato per tre palle. Poi venne a sostituirlo Nat Orme, e a metà strada si fermò a farsi dare il dannato casco da Stan. Nemmeno lui durò fino alla fine dell'over...

Sentivo la mia squadra mancarmi sotto i piedi. Ero come un bambino che stesse a guardare la marea portarsi via il suo castello di sabbia. Tentai disperatamente di stare io alla battuta. Ma Billy Niles fu eliminato per "run out" quando il casco, troppo largo per lui, gli si rigirò sulla testa mentre stava correndo alla base. E Leslie Sears fece la stessa fine tornando indietro a recuperare la rivista che gli era caduta fuori dai calzoni. E un lancio di Kerry Turnbull fece saltare via un dente al piccolo Ned Foley...

Insomma, per farla breve, perdemmo.

Ce ne andammo senza stringere la mano agli avversari; credo che sentissero che era più di quanto valesse il loro posto di lavoro. Tornando a casa, l'unico allegro era Bottoni.

Tuttavia, ero sollevato che fosse finita per quell'anno, e tutto sommato ne eravamo usciti con molto più onore di tanti altri.

Ma poi mi ricordai la Holdsby Cup.

Naturalmente, il Gunton arrivò in finale. Il problema era che ci arrivammo anche noi. Eravamo una squadra niente male quell'anno, specialmente con le mie guest star. Penso che i ragazzi avrebbero preferito perdere nella semifinale con il Mayston, ma al momento buono i battitori mostrarono una strana riluttanza a regalare i loro wicket, e i lanciatori del Mayston tiravano delle palle che c'era davvero da mettercisi d'impegno per non prenderle.

La mia squadra arrivò a Gunton per la finale in tensione non indifferente. Negli spogliatoi ricomparvero i caschi, che non si erano più visti dopo l'ultima volta. E il giovane Len Phillips improvvisamente si accasciò in un angolo a russare sonoramente. Jack gli annusò l'alito, scovò una fiaschetta in una tasca della sua giacca, e pronunciò poche ma sentite parole a proposito dell'ebbrezza data dall'alcol. A quel punto eravamo rimasti in dieci, senza contare il giovane Scott Walker, naturalmente, che al massimo avremmo potuto far giocare contro una squadra di bambini, tanto perché facesse esperienza. E di riserve neanche se ne parlava. Ero riuscito a malapena a racimolare undici uomini andando in giro a supplicare: quella settimana c'era stata una vera e propria epidemia di matrimoni di parenti lontani e polsi slogati durante il raccolto...

«Oh, be',» borbottai, guidando fuori la squadra, «dovremo arrangiarci in dieci.»

Quasi andai a sbattere contro l'ometto in divisa bianca di flanella che mi si parò davanti all'improvviso. «Ho sentito che vi manca un uomo. Vi dispiace se gioco con voi?»

Mi sembrò di riconoscerlo. «Offaney, non è vero?» domandai abbastanza stolidamente. «C.M.A. Offaney?»

Lui sorrise con vaga diffidenza e mi strinse la mano.

«Hai un raptus suicida, o qualcosa del genere?» Feci un cenno in direzione del campo, dove Kerry stava arringando le truppe, scagliando palle contro i suoi giocatori con tutta la forza che aveva in corpo.

«Ho dato le dimissioni stamattina,» rispose Offaney. «Dall'azienda e dalla squadra. Un uomo non può subire più di tanto da quell'essere.»

«Benvenuto a bordo,» dissi debolmente.

Proprio allora, Bottoni andò a farsi un giro sul pitch, dove l'altra squadra si stava riscaldando.

Kerry Turnbull lanciò un grido di rabbia, e tirò la palla dritto contro Bottoni. E per una volta, la sua mira fu perfetta. Se lo avesse preso alla testa lo avrebbe indubbiamente ucciso. Invece, lo colpì alla coda. Bottoni ha tuttora una piccola nodosità in quel punto.

Ma il gatto non scappò. Guardò in faccia il suo nemico, uno sguardo lungo, duro e cupo, come a dire che non avrebbe mai dimenticato, e tanto meno perdonato, finché avesse avuto vita. Poi gli girò la schiena, sprezzante, e se ne andò verso il tabellone segnapunti elettronico del Gunton, dove il giovane Scott si era messo comodo insieme agli altri nel gabbiotto con la grande finestra aperta.

Ricordo di aver pensato che Kerry Turnbull si stava facendo una spaventosa quantità di nemici a tempo di record.

Di nuovo fui abbastanza fortunato da vincere il sorteggio, e di nuovo misi il Gunton in difesa. Avevo ancora i miei due lanciatori d'importazione, e si comportarono bene. Tuttavia, adesso che non erano più una novità i loro servizi avevano perso un po' di smalto, e i brillanti giovanotti di Kerry ci davano dentro come se il loro posto di lavoro dipendesse dalle loro prestazioni in campo, il che probabilmente era la pura verità.

All'ora di pranzo il Gunton aveva accumulato un buon punteggio. Dopo la pausa, Offaney emerse dall'ombra del fondo campo, dove era rimasto in agguato, e lanciò come l'angelo che era. Fece parecchio danno alla squadra avversaria, facendoci passare in vantaggio...

E poi arrivò Kerry. Doveva essere stato tutta la mattinata in azienda a fustigare computer per farli lavorare di più, e solo adesso si accorse che Offaney era passato al nemico.

«Piccolo stronzo inglese...»

Offaney sorrise. La sua faccetta da papero triste

si illuminò di gioia sadica. Con aria da cospiratore, annunciò all'arbitro il tipo di lancio che intendeva effettuare, e poi tirò.

Fu un over che non dimenticherò finché vivo. Offaney lanciava palle così incredibilmente lente... La palla sembrava stazionare a mezz'aria, appena oltre la portata della mazza di Kerry. Poi finalmente scendeva, Kerry partiva con la mazza, e la palla semplicemente non era lì. Kerry si slanciò, vibrò la mazza a vuoto, si schiantò a terra, trascinato dal proprio impeto, e restò a guardare la palla passare oltre, rasentando il wicket. Tutto questo per cinque volte di fila. Era come una corrida: il toro infuriato e il vulnerabile matador che lo stuzzicava.

La sesta palla, che restò sospesa in aria più a lungo di tutte, sembrò colpire di striscio il wicket, ma non accadde niente. Il nostro ricevitore se la trovò dritta nei guantoni.

E poi, un paletto del wicket cadde.

Kerry sembrava impazzito. Sostenne che era stato il vento a buttarlo giù.

Il nostro arbitro fece notare piuttosto ragionevolmente che non c'era un alito di vento. Con grande rammarico (e un gesto eloquente che non sfuggì a nessuno) lo invitò a uscire dal campo. E Kerry dovette andare. Sbraitando che avrebbe fatto ricorso alla federazione, si slacciò ginocchiere e parastinchi e li piantò sul pitch insieme alla mazza prima di avviarsi a passo di marcia verso gli spogliatoi.

Intanto, Offaney se ne stava lì sorridente e beato. Sono certo che avesse programmato ogni palla esattamente com'era andata. Un grande lanciatore; l'anno successivo fece faville, col Worcestershire.

L'inning finì poco dopo, e ci ritirammo per l'intervallo.

Adesso eravamo noi in battuta. Il nostro piano era molto semplice: avremmo fatto in modo che fossi io a battere quando c'era Kerry a lanciare, e a queste condizioni gli altri avevano accettato di lasciare negli spogliatoi i loro dannatissimi caschi.

Stava andando tutto per il meglio, quando per un incidente di percorso Bill Butterfield si trovò ad affrontare Kerry, e fu il disastro.

Kerry dovette mettere in quel lancio la rabbia repressa che aveva immagazzinato per l'intero pomeriggio; e fu accurato, anche. Bill non fu abbastanza svelto, e la palla lo colpì in pieno, con tanta violenza da tramortirlo. Lo portammo fuori e attendemmo con ansia di sentire la sirena dell'ambulanza.

Quando il gioco riprese, i miei ragazzi si presentarono di nuovo con i maledettissimi caschi, e furono eliminati uno dopo l'altro. L'unico valoroso senza il casco fu Offaney, ma era lui il primo a dire che non c'era battitore più scarso.

Ricordo che, in mezzo a quello sfacelo, mi venne in mente di guardare se almeno Bottoni fosse sano e salvo. Non lo vedevo da nessuna parte. Poi finalmente scorsi il pennacchio ondeggiante della sua coda nel riquadro della finestra del gabbiotto del segnapunti, sotto il tabellone con le sfolgoranti cifre digitali rosse. Evidentemente aveva deciso che era meglio non correre rischi inutili.

Mi restava un solo over per decidere delle sorti della partita. Io contro Kerry. Il mostro cominciava ad accusare una certa stanchezza. Purtroppo questo, nel suo caso, si traduceva solo nell'essere meno irruente. Aveva dimezzato la sua rincorsa, e stava cominciando a badare a dove mandava la palla. Adesso era più pericoloso che mai. Non c'era da sperare in nessun fuoricampo da sei regalato.

La prima palla arrivò bassa, e non potei fare altro che stopparla.

Con le successive tre riuscii a strappare giusto qualche misero punticino.

Ancora due palle. E ormai nemmeno fare sei con tutt'e due sarebbe bastato per vincere.

Come per sottolinearlo, Kerry mi lanciò una palla fiacca. La ribattei fin quasi al laboratorio d'informatica principale... così vicino, eppure così lontano.

E l'ultima palla Kerry la buttò letteralmente via. Non sarei riuscito a non farci altri sei punti neanche volendo.

A quel punto guardai Offaney, e lui guardò me.

Eravamo uno più sconsolato dell'altro. Era finita.

Ma allora, che cos'avevano i nostri da applaudire? Perché lanciavano per aria i loro berretti e copie dell'*Independent*? E perché mai Kerry aveva l'aria di volersi mangiare il suo bel prato fino a scavare una galleria da lì alla sua Australia?

Il motivo era lì da vedere, bene evidente sul tabellone con le sue cifre rosse dal bagliore malevolo.

Risultava che avevamo segnato più punti di quanto credessimo.

In qualche modo avevamo vinto la Holdsby Cup.

Scott e Bottoni tornarono a casa con me, perché gli altri erano andati a festeggiare alcolicamente la vittoria.

«Non riesco a capire,» dissi a Scott mentre guidavo. «Proprio non mi spiego... Dammi un po' quel tabulato.»

Accostai la macchina e studiai la stampata uscita dal tabellone, con il punteggio in dettaglio, over per over.

E all'improvviso individuai l'inghippo.

Due extra nell'ultimo over.

«Ma non c'è stato nessun extra nell'ultimo over...» obiettai.

Scott fece una risata argentina. Un suono delizioso emesso da un bambino delizioso.

«Il segnapunti stava seguendo così attentamente la partita... era così concentrato...»

«S-sììì?»

«E, be', lo sai com'è Bottoni... le cose che fa con la tele...»

«S-ssì.»

«Ecco... lo ha fatto con il segnapunti elettronico. Continuava a mettere la zampa sul tasto "extra". E così abbiamo vinto.»

«Ma com'è possibile che nessuno se ne sia accorto?»

«Be', se se ne sono accorti, non lo hanno dato a vedere. Sai, quel Turnbull non ha molti amici. Perfino il segnapunti voleva che perdesse.»

«Vuoi dire che...»

«È stato Bottoni. E scommetto che lo ha fatto apposta. Continuava ad agitare la coda davanti alla faccia del segnapunti, come per confondergli la vista.»

Per concludere, avrei alcune cosette da aggiungere. Kerry Turnbull perse gusto al cricket, e andò a mettere su un'altra compagnia consociata in America. A Gunton Manor, l'interesse per il cricket svanì piuttosto rapidamente, e quelli del paese riebbero indietro il loro club; si sono tenuti il magnifico impianto e le attrezzature, ma sono di nuovo in fondo alla classifica. Ma non chiedetemi che cosa accadde nell'animo di Bottoni: questo resterà per sempre un mistero.

Le creature nella casa

L'alba stava rischiarando il lungomare di Southwold.

Il vento soffiava contro le onde; i cavalloni spumeggiavano a perdita d'occhio, facendosi sempre più piccoli in lontananza, come dipinti da un ossessivo pittore di marine olandese. Una nave a vapore si stagliava contro l'orizzonte, dritta come una pentola su un ripiano, apparentemente quasi immobile.

Il lungomare era deserto; le cabine vuote sulla spiaggia sembravano stringersi l'una all'altra nella pioggia. La sola cosa a muoversi era una falda di vernice sintetica che si stava staccando dal chiosco sul molo e sbatacchiava al vento.

La signorina Forbes aprì gli occhi, grigi e smorti come il mare a novembre, affacciandosi al suo ultimo giorno. Era coricata sulla chaise-longue a dondolo collocata nel bovindo; un tempo era stata un pezzo di lusso, ma il continuo uso, giorno e notte, aveva logorato e annerito in diversi punti il rivestimento di velluto. Erano ormai anni che la

donna non dormiva nel suo letto. I letti comporta-
vano l'utilizzo di lenzuola, che poi andavano lava-
te... Raramente si allontanava dal bovindo. Riti-
rava la spesa che le veniva lasciata sulla soglia di
casa e la portava direttamente al tavolino sistemato accanto alla chaise-longue. Una volta alla
settimana andava a gettare gli avanzi nel bidone
della spazzatura. Per il resto, si limitava al tragitto
dal bovindo al bagno e al viaggio settimanale in
cucina per riempire al rubinetto gocciolante una
brocca decorata con rose dipinte.

Si alzò a sedere e guardò il mare, domandan-
dosi che mese fosse. Quel mattino la sua mente
era più limpida di quanto non capitasse da molto
tempo. La creatura che abitava la casa non si
cibava della sua mente da una settimana. Non
rimaneva molto della mente della signorina
Forbes di cui cibarsi, d'altronde. Alcuni brandelli
di ricordi degli anni Quaranta; un vago senso di
colpa per cose non fatte. La creatura stessa stava
diventando sempre più debole. Sapeva che presto
sarebbe arrivato il momento in cui non avrebbe
più avuto niente del tutto di cui nutrirsi. Allora
sarebbe stata costretta a ibernarsi, come un ghiro
o un porcospino. Ma prima, era necessario che la
creatura provvedesse al proprio futuro, finché ce
n'era ancora il tempo. C'era qualcosa che la
signorina Forbes doveva fare...

Si alzò sulle gambe malferme, dopo aver tentato di raddrizzare le pesanti calze di due differenti

toni di grigio. Arrancò fino al corridoio, prese l'elenco telefonico del 1968 e, strizzando gli occhi a cinque centimetri dalla pagina, cercò il numero del notaio.

Ebbe difficoltà a far capire alla giovane segretaria dello studio legale chi era: una cliente di vecchia data, e piuttosto ricca. Fece il nome di un socio dello studio dopo l'altro. Il vecchio signor Sandbach era morto da vent'anni... il giovane signor Sandbach era andato in pensione la primavera scorsa. Sì, supponeva che il signor Mason potesse andar bene... quel pomeriggio alle due?

Salì lentamente al piano di sopra, lasciando le impronte delle pantofole in uno strato di polvere più spesso della logora passatoia che ricopriva le scale. Entrata in quella che un tempo era stata la sua camera da letto, aprì l'armadio con specchiera, senza nemmeno dare un'occhiata al proprio riflesso mentre ruotava verso di lei.

Cominciò a lavarsi, pettinarsi e vestirsi. Tra le varie pause che dovette prendersi per sedersi a riposare, l'operazione richiese tre ore. La creatura dovette cederle un po' delle proprie sempre più fievoli forze, e anche così sembrava che la signorina Forbes non ce l'avrebbe fatta. La creatura stava cominciando a perdere le speranze.

Ma tra tutt'e due riuscirono a portare a termine l'impresa. All'una e mezzo, la signorina Forbes chiamò un taxi, tenendo la cornetta dell'antiquato telefono nero nella mano tremante.

Il tassista la guardò sgomento nello specchietto retrovisore. La vecchia passeggera stringeva convulsamente due cose nella mano guantata: le chiavi di casa, e un grosso pezzo di carta da parati spiegazzata sul cui rovescio era scribacchiato qualcosa con grafia grande e infantile. Come tutti quelli della sua categoria, era bravo a leggere le cose al contrario nello specchietto.

"Lascio tutti i miei averi a mia nipote, Martha Vickers, purché al momento della mia morte non sia sposata e viva sola, e a condizione che accetti di risiedere, stabilmente e sola, al 17 di Marine Parade. Altrimenti, posto che lei non possa o non intenda ottemperare alle mie volontà, lascio tutti i miei beni alla mia pronipote Sarah Anne Walmsley..."

Il tassista rabbrividì. Lui personalmente avrebbe optato per un attacco di cuore a settant'anni...

«Supponiamo che io spenda tutto il denaro, venda la casa e sparisca?» domandò Sally Walmsley. «Chi potrebbe impedirmelo?»

«Io, temo,» replicò il signor Mason, togliendo con una mano lo spesso strato di polvere dalla seduta sotto l'appendiabiti nell'anticamera del 17 di Marine Parade prima di accomodarvi il grasso didietro vestito di tessuto a righine. «Noi siamo gli esecutori delle disposizioni testamentarie di sua zia... dovremo pure esercitare un qualche controllo su di lei... potrebbe risultare sgradevole... spero che non si arriverà a questo. Diciamo che lei e io si ceni insieme ogni sei mesi, e lei mi tenga al corrente...» La guardò interrogativo, con un sorriso comprensivo. Gli piaceva quella ragazza alta e sottile, con gli occhi verdi e i lunghi capelli neri. «Naturalmente, lei potrebbe sempre impugnare il testamento. Non reggerebbe un minuto, in tribunale. Io non potrei certo giurare che sua zia fosse del tutto lucida il giorno in cui lo ha redatto... o nel pieno possesso delle sue facoltà, come diciamo noi. Ma se lei fa decadere questo testamento, dovrà spartire l'eredità con tutte le sue zie e cugine, sposate e nubili. Spetterà qualcosa come diecimila sterline a testa... non un granché.»

«Col cavolo,» borbottò Sally Walmsley. «Visto che è toccata a me, me la tengo.»

A un tratto si sentiva immensamente stanca. Gli ultimi sei mesi erano stati così stressanti. Decidere di lasciare la scuola d'arte. Mettere in pratica la decisione. Passare al setaccio tutta Londra cercando un impiego. L'opportunità di lavorare come assistente art director per *New Woman*. Poi il favoloso Tony Harrison della produzione che se n'era tornato da quella sua bovina, frigida e provinciale specie di moglie. E adesso questo...

«Ora devo andare,» disse il signor Mason, alzandosi e controllando di non essersi impolverato i calzoni nello specchio sporco e scrostato dell'anticamera. Ma indugiò a lungo sulla porta, come se si sentisse in colpa a lasciarla lì da sola. «È stata una strana faccenda... Ho avuto a che fare con molte vecchie signore, ma sua zia... sembrava... non so, un po' svanita. Non tocca, intendiamoci. Ma a tratti non c'era con la testa. Dovevo continuamente gridare per richiamarla a se stessa.»

Il signor Mason scosse la testa. «Sa, è stato il lattaio a trovarla, dopo che per tre volte lei non aveva ritirato il latte che le lasciava davanti alla porta. Lui di regola si preoccupa solo dopo la terza bottiglia. Le vecchie signore possono essere strambe, a volte. Ha pensato che magari era andata via... Invece era là, seduta nel bovindo della camera da letto, grigia come la polvere. Pare che lui fosse l'unico contatto umano che aveva, e anche quello si riduceva a biglietti e denaro infilati nelle bottiglie del latte. Viveva di quel che lui le portava: latte, pane, burro, uova, yogurt, formaggio, succo d'arancia. Sembra che non avesse mai cucinato. Le uova le beveva crude, dopo averle sgusciate in una tazzina. Però non è morta di malnutrizione. Il coroner ha detto che era un'alimentazione di cui si poteva vivere, sebbene non raccomandabile. E non è morta nemmeno per ipotermia. Era una settimana di marzo particolarmente fredda, ma la stufa a gas andava al massimo, e la stanza era come un forno.»

Il signor Mason s'interruppe, come se gli fosse appena venuto in mente qualcosa che lo turbava. «In effetti, il coroner non è riuscito a trovare alcuna causa di morte. Ha detto che sembrava che si fosse semplicemente spenta... decesso per buone, vecchie cause naturali. Be', ora devo proprio andare. Se c'è qualcosa che posso fare per lei...»

Sally fu sul punto di dire "Non se ne vada, la prego," ma sarebbe stato sciocco. Invece sorrise educatamente, mentre lui sorrideva a sua volta e prendeva commiato con un breve inchino della testa.

A Sally non piaceva tutta quella storia. Ascoltò il silenzio nella casa, e le si accapponò la pelle.

Un uomo primitivo, un selvaggio o un aborigeno, avrebbe riconosciuto quel brivido. Se ne sarebbe andato immediatamente. Oppure, se il posto fosse stato importante per lui - una caverna o una sorgente d'acqua - sarebbe ritornato con altri uomini primitivi e avrebbero eseguito certi rituali. E allora la creatura se ne sarebbe andata.

Ma Sally semplicemente disse a se stessa di non essere sciocca, e si costrinse ad andare in esplorazione.

La libreria era imponente: scaffali carichi di volumi dal pavimento al soffitto. Avanguardia: cinquant'anni fa. Marie Stopes, Havelock Ellis, la prima Agatha Christie, Shaw e Wells. Zia Maude era stata un'accanita lettrice, un'intellettuale. Ma allora che cosa aveva letto negli ultimi dieci anni? Perché i libri erano coperti dalla stessa polverosa lanugine che rivestiva tutto il resto, e in casa non c'era un solo quotidiano o una rivista... Insomma, che cosa mai poteva aver fatto di se stessa per tutto quel tempo, sempre chiusa in casa, sbrigando tutti i suoi affari per posta, senza mai mettere i francobolli sulle buste finché il direttore della banca aveva cominciato a inviargliene regolari scorte di propria iniziativa? Perfino l'idraulico che si occupava delle occasionali riparazioni o l'addetto alla lettura del contatore non l'avevano mai incontrata di persona; solo un messaggio al telefono e la porta aperta, con attaccato un foglietto su cui erano scribacchiate le istruzioni.

Zia Maud avrebbe anche potuto essere una suora di clausura...

Ma la casa, con i suoi muri rivestiti in legno, le sue bianche guglie gotiche, i balconi e i molti bovindi, non era in cattivo stato. Nessun segno di cedimento, niente a cui non si potesse porre rimedio con una riverniciata. E poi, c'era il denaro: un gruzzolo non indifferente. E l'arredamento, favolosamente vittoriano. Gli orologi viennesi da parete, che vent'anni prima sarebbero andati bene giusto per il rigattiere, adesso potevano valere centinaia di sterline, una volta che il vetro delle casse fosse stato ripulito dalle ragnatele, e i pendoli di ottone dal verderame. E il mobilio della sala da pranzo era Sheraton: autentico Sheraton del diciottesimo secolo. Oh, che posto avrebbe potuto tirarne fuori! Chiunque si sarebbe fatto volentieri un po' di strada per andarla a trovare lì, anche da Londra. Chi non avrebbe accettato con gioia un invito per un

week-end al mare? Forse lo stesso Tony Prescott...
Ricacciò a forza indietro il pensiero e si guardò
attorno. Far rinascere a nuova vita quella vecchia
casa sarebbe stata una sfida stimolante, ed era
certa che le avrebbe dato grande soddisfazione.

E allora, perché le veniva da piangere? Era solo
il malinconico grigiore di quel pomeriggio di
novembre, la pioggia che faceva colare rivoli ne-
rastri lungo i vetri sporchi?

Salì all'ultimo piano della casa, e si trovò in un
locale sotto il tetto spiovente. Una soffitta con una
finestra di vetro giallo a un'estremità che dava l'illusione che fuori ci fosse sempre il sole e, am-
massate dalla parte opposta, le pareti di mattoni
dei comignoli. Una stanza lunga, alta e stretta; una
stanza sbagliata che le fece venire voglia di sbattere la porta e correre via. Invece, si costrinse a
restare e analizzare le proprie sensazioni. Era
semplice, in realtà. Il vetro giallo era alienante; e
la forma della stanza era disagevole, ti faceva
istintivamente protendere verso l'alto, provocan-
doti un umiliante crampo al collo. Evidente, se
avevi studiato arte e acquisito una conoscenza
della psicologia della forma e del colore.

Fu comunque felice di chiudere la porta e
scendere in cucina a prepararsi un tè. Il rubinetto
perdeva, notò. Accese tutti i fornelli, e anche il
forno. Presto il posto fu caldo come una serra...

Nell'angolo più buio dell'angusta soffitta, più
lontano possibile dalla finestra gialla attraverso la

quale sembrava splendere sempre il sole, in alto, contro uno spigolo annerito dalla fuliggine, la creatura si mosse nel sonno. Non era la più forte, né la più feroce del suo genere; non proprio puro spirito, o piuttosto, decaduta dall'essere puro spirito. Poteva passàre con facilità attraverso il legno e il vetro di porte e finestre, ma aveva problemi con mattoni e muratura. Era per questo che aveva installato la signorina Forbes nel bovindo, dove poteva accedere a lei rapidamente quando tornava affamata dai suoi lunghi viaggi. Si nutriva di umani, ma non qualunque umano. Trovava insopportabile la presenza di operai in casa, ad aggirarsi pesanti e sgraziati come elefanti, fischiettando e imprecando. Le famiglie felici, poi, erano quanto di peggio potesse capitare, specialmente se i bambini erano chiassosi. Le piacevano soltanto le donne, ma non avrebbe potuto tollerare un raduno femminista. La creatura si nutriva di donne sole, donne disperate. Si insinuava furtivamente nella loro mente, quando dormivano o si agitavano e tormentavano nel cuore della notte, sbucciandola del guscio protettivo che loro nemmeno sapevano di avere, un po' come uno scoiattolo con una noce, o un tordo con una chiocciola, con pazienza, delicatezza, persistenza...

Come ogni saggio parassita, non uccideva il suo ospite. La signorina Forbes era durata quarant'anni; la prozia della signorina Forbes quasi sessanta.

Adesso la creatura era sveglia. Sveglia e affamata.

Sally stringeva tra le mani la sua terza tazza di tè, lo sguardo fisso sull'erba incolta e senza vita e i bidoni della spazzatura nel giardino oltre la finestra della cucina. Il muro di cinta di mattoni anneriti, a qualche decina di metri, bloccava la sua visuale. Aveva la netta sensazione che anche la sua nuova vita si fosse bloccata; che il meccanismo del suo orologio interno si fosse inceppato. Avrebbe potuto restare seduta così per sempre, si rese conto, e a un tratto la colse il panico. Doveva riscuotersi da quell'inerzia. Per dirne una, sarebbe stato il caso di andare di sopra a prepararsi un letto. Nei cassetti c'erano parecchie lenzuola di gusto squisitamente edoardiano, color lavanda e ricamate. Ma non ne aveva l'energia.

Potrei andare in un albergo per stanotte, pensò. Ma quali alberghi sarebbero stati aperti a Southwold in novembre? Se almeno avesse potuto telefonare... ma avevano tagliato i fili.

In quel momento, qualcosa apparve all'improvviso sul muro annerito, facendola sobbalzare. Sembrava fosse uscito dal nulla.

Un gatto grigio. Un maschio, a giudicare dalla grossezza della testa e dalla robustezza delle spalle.

Guardò da una parte e dall'altra, poi abbassò una zampa anteriore, tastando delicatamente la parete verticale di mattoni, e spiccò un balzo, scomparendo nell'erba alta.

Sally attese; il gatto riapparve, avanzando con passo furtivo nella sterpaglia, molto più simile a un leone che a un gatto domestico. Andò da un bidone della spazzatura all'altro, annusando l'interno di ciascuno, senza speranza e senza successo. Sally intuì che faceva la stessa cosa ogni giorno, alla stessa ora. I suoi passaggi avevano tracciato una pista nell'erba.

È andata buca, eh? pensò Sally, vedendo che il gatto non aveva trovato niente. Poi fece una smorfia malevola. Gonzo! Detestava il gatto, perché la sua fallimentare ricerca di cibo le ricordava la propria ricerca di felicità.

Il gatto annusò inutilmente l'ultimo bidone, poi fece per andarsene a bocca asciutta.

Benvenuto nel club, pensò Sally con amarezza.

Fu allora che iniziò a grandinare; da un momento all'altro, grossi chicchi di ghiaccio presero a bersagliare con rabbia la terra, duri e sferzanti. Il gatto si volse di soprassalto, sollevando la testa e una zampa, ringhiando come se la grandine fosse un nemico della sua specie, come per difendersi dalla spietata asprezza della vita.

Sally provò un barlume di simpatia.

Fu come se il gatto lo avesse avvertito. Sta di fatto che si voltò verso la finestra della cucina e la vide per la prima volta. Immediatamente corse verso di lei, saltò sul coperchio di un bidone direttamente sotto la finestra, mentre i chicchi di grandine battevano sulla sua pelliccia, lasciandovi piccoli crateri, e spalancò la bocca, esponendo la lingua rossa e i denti bianchi in un muto miagolio che era per metà sfida e per metà supplica.

Non puoi lasciare che mi succeda questo.

La fece sentire come Dio; quel Dio al quale si era spesso rivolta piangendo, imprecando contro di lui, invocando il suo aiuto, senza mai avere risposta.

Io sono più misericordiosa di Dio, si disse con un triste senso di trionfo, e corse ad aprire la porta della cucina.

Il gatto si infilò dentro a razzo e, trovando un rifugio asciutto, ricordò di colpo la propria dignità. Si scrollò violentemente, poi scosse le zampe bagnate, una alla volta, come in segno di disgusto per il tempaccio là fuori, e infine prese a leccarsi d'impegno una spalla con la lingua lunga e rosea.

Ma non per molto. Il suo naso cominciò a fremere, piuttosto mostruosamente. Girò la testa, seguendo l'indicazione del suo olfatto, e saltò con grazia sul tavolo di cucina, sul quale era posato un pacchetto avvolto in carta da macellaio.

Un mezzo chilo di carne trita, comprata in città ore prima e dimenticata lì. Sally si sedette a guardare, divertita. Bene, pensò, se ce la fai, è tua.

Il gatto assestò qualche colpetto di prova alla preda, come se si trattasse di un topo vivo, e la rovesciò con una zampata. Si fermò per un momento a riflettere sul da farsi, poi incuneò il muso sotto il pacchetto e, con vigorose spinte, lo spostò fino all'orlo del tavolo e finalmente lo buttò giù.

L'impatto col pavimento di sasso fu sufficiente per far esplodere il pacchetto. Il macinato si sparpagliò sulle lastre di pietra con tutto il truculento effetto scenico di una caccia andata a buon fine. Il gatto saltò a terra e si avventò sulla carne, interrompendo il pasto solo per lanciare di tanto in tanto uno sguardo cupo e sospettoso a Sally e ringhiando in sordina.

OK, pensò Sally. Hai vinto. Stasera non l'avrei cucinata di sicuro, comunque, e non c'è il frigorifero...

Il gatto fece piazza pulita, scovando fino all'ultima briciola rossa, e poi cominciò a esplorare la cucina, camminando sui piani di lavoro, schiudendo con una zampa insistente le ante degli armadietti per sbirciare nell'oscurità al loro interno.

C'era in lui un'arroganza, un senso di presa di possesso, che a Sally non venne in mente che un nome da dargli.

Quando alla fine il gatto si accovacciò a lavarsi, sbirciandola con sguardo indecifrabile, lo chiamò a bassa voce: «Boss? Boss?»

Lui rispose con un breve suono vibrante e gutturale e le saltò dritto in grembo, saggiando il terreno con unghie dolorosamente aguzze prima di accovacciarsi sulle sue cosce, rivolto in avanti, gli artigli affondati nelle ginocchia protette dai pantaloni. Era grosso, ma penosamente magro. Le anche erano affilate come coltelli d'osso sotto il pelo arruffato. I tempi grassi dovevano essere in estate, rifletté insonnolita Sally, quando dietro ogni albergo c'erano bidoni pieni di rifiuti. Per il resto la vita doveva essere dura, per i gatti randagi del posto.

Per lei il gatto avrebbe dovuto essere una seccatura, ma stranamente invece le era di conforto. La stufa a gas aveva pervaso la stanza di un delizioso tepore, e l'incessante ron-ron del micio era soporifero.

Si addormentarono entrambi, intrecciati uno all'altro come piante simbiotiche, in un bozzolo di contentezza.

La creatura percepì il sonno di Sally. Sgusciò fuori dalla soffitta e giù per le scale dalla balaustra di legno dagli intagli elaborati, nulla più che un passeggero infittirsi delle ombre, un fugace affievolirsi del vago chiarore di un lampione distante che filtrava attraverso le sudicie tendine di pizzo.

Boss non avvertì la sua presenza finché non entrò nella cucina. Una gatta se ne sarebbe accorta ben prima. Ma lui riuscì a vederla, mentre Sally non avrebbe mai potuto. I suoi artigli si contrassero sulle ginocchia di Sally; si alzò e inarcò il dorso, soffiando, le orecchie tirate indietro contro il cranio. Sally farfugliò qualcosa, cercando di tranquillizzarlo con una carezza sonnolenta. Ma non si svegliò...

Il gatto e la creatura si fronteggiarono. Boss non

ne aveva paura, come avrebbe potuto averne un umano. In lui c'era solo odio per un intruso, un'entità aliena, un nemico.

E la creatura sentiva l'odio di Boss, un po' come un umano avrebbe potuto sentire un sassolino che gli si fosse infilato dentro una scarpa. Non proprio doloroso, non sufficiente per fermarsi, ma una distrazione.

La creatura non poteva fare alcun male a Boss; i due esseri non avevano niente in comune. Ma poteva esercitare pressione su di lui; una pressione abominevole. E lo fece.

Boss saltò giù dalle ginocchia di Sally. Se ci fosse stata una porta o una finestra aperta, sarebbe scappato. Ma non c'era. Corse freneticamente di qua e di là, cercando di sfuggire all'oscura pressione, e finalmente trovò scampo acquattato nell'angolo sotto il lavandino, protetto su tre lati da superfici solide.

Neutralizzato il gatto, la creatura rivolse la propria attenzione a Sally, sondando il primo strato della sua mente.

Ma Boss, libero dalla pressione, riprese a soffiare con più rabbia di prima.

Per la creatura, fu come se il sassolino nella sua scarpa si fosse girato, rivelando un lato più aguzzo. In un sussulto d'ira, premette troppo forte sullo strato esterno della mente di Sally.

Il sogno di Sally si trasformò in incubo: un incubo di un'orribile cosa di genere femminile con mammelle grinzose e pidocchi nei lunghi capelli grigi. Si svegliò in un bagno di sudore.

La creatura non c'era più.

Sally guardò con occhi straniti Boss emergere da sotto il lavandino, darsi una scrollata, e poi chiedere di essere lasciato uscire, grattando con molta insistenza alla porta della cucina.

Sally aveva già impugnato la maniglia, quando le venne di colpo in mente che, se avesse lasciato uscire il gatto, sarebbe rimasta sola.

Il pensiero era troppo angoscioso.

«Spiacente, amico,» disse, guardando il gatto. «Hai chiesto tu di entrare. E hai anche sbafato la cena. Adesso, vedi di ripagare l'ospitalità.»

Come se avesse capito, Boss si allontanò rassegnato dalla porta. Sally preparò del tè e, sentendosi rimordere la coscienza, diede a Boss un po' di latte. Guardò l'orologio: era mezzanotte.

I due tornarono a mettersi comodi, e presto si addormentarono di nuovo.

Durante la notte, la creatura fece altri tre tentativi, tutte le volte con lo stesso risultato. La crescente frenesia la rendeva sempre più maldestra. Per tre volte Sally si svegliò di soprassalto da un incubo, tutta sudata, e preparò del tè.

Boss, dal canto suo, stava cominciando ad abituarsi alle incursioni della creatura. L'ultima volta non si era nemmeno mosso dalle ginocchia di Sally, limitandosi a irrigidirsi tutto e soffiare. Il peso oscuro della creatura sembrava meno opprimente quando era vicino all'umana.

Dopo le tre, gatto e ragazza dormirono indisturbati, mentre la creatura vagava per le scale e i corridoi, fuori di sé. Forse stava cominciando a rendersi conto che un giorno, come la signorina Forbes e prima di lei la sua prozia, anch'essa avrebbe potuto semplicemente cessare di esistere; come il cadavere di un riccio sul ciglio della strada, avrebbe potuto lentamente decomporsi in minute particelle di polvere.

La luce tenue del mattino rallegrò un poco l'erba smorta del prato sul retro della casa. Sally aprì una scatola di carne sotto sale e la diede a Boss per colazione. Il gatto mangiò avidamente, poi chiese ancora di uscire, con rinnovata insistenza.

La libertà è la libertà, pensò tristemente Sally. Del resto, se non fosse andato fuori al più presto con ogni probabilità si sarebbe verificato uno spiacevole incidente. Lo guardò allontanarsi fra l'erba e guadagnare la sommità del muro con un balzo magnifico.

Poi svanì, lasciando il mondo completamente vuoto.

A Sally ci vollero quattro tazze di caffè per mettersi in carreggiata; poi disfece la valigia, lavò le poche stoviglie nel lavello della cucina e uscì ad affrontare il mondo.

Non era poi male. Il cielo era di un azzurro pallido, le onde scintillavano come diamanti infrangendosi sulla spiaggia, e la sua Mini nuova fiammante era parcheggiata sulla strada.

Ma era Boss che stava cercando, frugando con lo sguardo il giardino incolto sul davanti della casa e il prato perfettamente curato dei vicini.

Lanciò un'occhiata nervosa alle proprie spalle. Il 17 di Marine Parade sembrava pacifico, visto da lì...

«Buongiorno!» La voce la fece sobbalzare.

Il proprietario del numero 16 raddrizzò la schiena, emergendo da dietro la sua impeccabile staccionata con un pugno di foglie morte in mano.

Era tutto quello che non le piaceva in un uomo. Trent'anni circa. Sorriso amichevole, ingenui occhi azzurri, camicia a scacchi, cravatta di tessuto grezzo, molto folk. Le tese la mano, ripulita sommariamente dal terriccio con una veloce passata sul didietro dei calzoni da giardinaggio.

«Si è appena trasferita, eh? Io sono Mike Taverner. Abito qui con mia madre...»

Sally riuscì a svignarsela solo mezz'ora dopo, frastornata dalla fiumana di informazioni non richieste di cui era stata subissata. Mike Taverner l'aveva resa edotta di quali fossero i migliori negozi in città, e per che cosa in particolare fossero raccomandabili. Le aveva spiegato che si occupava di contabilità, e quali fossero i suoi orari. E le aveva detto che lui era capace di fare un po' di tutto, e se c'era qualcosa in cui potesse esserle utile... Ma quello che l'aveva davvero infastidita era stato il suo sguardo di vaga compassione.

Al diavolo! Se si aspettava che lo invitasse da lei a bere il caffè...

Trascorse la giornata usando il denaro della signorina Forbes. Una grossa torcia elettrica, per ogni evenienza; una radio portatile, di potenza soddisfacente; una tovaglia a scacchi; tre vestiti nuovi, abbastanza trendy, per quel che Southwold poteva offrire. Inoltre aveva ordinato una nuova cucina a gas, e ottenuto la promessa che la società dei telefoni avrebbe ripristinato l'allacciamento il giorno dopo.

Ma alla fine, era inevitabile che dovesse tornare a casa.

Depositò i suoi acquisti sul tavolo di cucina, tutti ammassati, e improvvisamente sembrarono rimpicciolire alle dimensioni di accessori per la casa di Barbie. L'opprimente silenzio attorno a lei le si appiccicava alla pelle come una fredda coperta bagnata.

Ma si mostrò risoluta. Andò di sopra e si preparò il letto, nella stanza col bovindo che si affacciava sul davanti. Poi si sedette davanti al suo piatto di uova e bacon, lasciando che si raffreddasse finché decise che ormai era immangiabile. I suoni che uscivano dalla sua radio nuova sembravano messaggi alieni in codice provenienti da Marte.

Andò a letto a mezzanotte, armata di radio, sigarette, fiammiferi, torcia e riviste. Ma prima, non dimenticò di lasciare la finestra della cucina socchiusa, e un piatto di macinato fresco sul davanzale. Era come una scommessa cento contro uno al Grand National...

Boss lasciò la casa determinato a non tornare mai più, avviandosi per l'erratico sentiero tra vicoli e giardini, cortili e capanni sulla spiaggia che delimitava il suo territorio, annusando le sue vecchie tracce e rinnovandole vigorosamente. Si avvicinò furtivo a un passero affamato che zampettava in un vicolo e lo uccise; in un altro vicolo trovò un po' di cotenna di bacon. Ma questo fu tutto. Presto ebbe di nuovo fame.

Al calare della sera, quando si presentò all'appuntamento con le sue femmine al derelitto capanno dei pescatori, il suo stomaco ormai reclamava perentorio qualcosa di sostanzioso. Il ricordo dell'oscuro terrore era sbiadito, e quello della carne trita cruda si faceva sempre più vivido.

Scambiò annusate di naso e sedere con una delle sue femmine in particolare, una gatta grande e scarna dal pelo variegato, con i fianchi incavati e la pancia prominente. Ma non riusciva a mettersi tranquillo. Il pensiero del macinato crudo occupava sempre più spazio nella sua mente, assumendo le proporzioni di una montagna: una deliziosa, sanguinolenta, saporita montagna.

Verso mezzanotte si alzò, si stiracchiò e si mise di nuovo in cammino, ripercorrendo all'inverso il suo consueto itinerario.

La gatta dal pelo variegato gli andò appresso,

tenendosi a una decina di metri di distanza. Si avventurò a seguirlo ben al di là di quanto avesse mai osato prima, resa ardita dal bisogno. Era molto più affamata di lui, in una situazione di gran lunga più disperata, e non le era certo sfuggito l'odore intenso della carne cruda nel suo fiato...

La creatura li sentì entrare nella casa; adesso c'erano due sassolini appuntiti nella sua scarpa.

Stava andando tutto bene, prima del loro arrivo. Sally aveva preso due Mogadon e si era addormentata come un sasso, distesa sulla schiena, con la bocca aperta, russando leggermente. Una preda perfetta. La creatura si stava pascendo con delicatezza del primo strato della sua mente, assimilando dolci e appetitosi ricordi d'infanzia. Il suo primo nutrimento da sei mesi a quella parte.

Disturbata dagli inopportuni visitatori, improvvisamente le sfuggì il controllo e ci diede dentro un po' troppo. Sally gemette e riemerse lentamente dal suo sonno indotto dai tranquillanti. Si alzò a sedere e si rese conto con orrore che le era stato rubato qualcosa. Qualcosa di prezioso che faceva parte di lei e adesso non c'era più, era perduto per sempre.

La creatura non lasciò andare la presa; anzi, si tenne aggrappata con tutte le sue forze. Era così vicina ad averla completamente...

Sally sentì un freddo mortale sotto le coperte attorcigliate; le lenzuola l'avviluppavano come un sudario appiccicoso, strangolandola, soffocandola. Se ne divincolò e balzò giù dal letto, barcollante e in preda al panico, brancolando nel buio alla ricerca della porta. Calore... aveva bisogno di scaldarsi, o...

La cucina... la stufa... caldo. Tastò disperatamente le pareti, cercando la porta nell'oscurità totale. Tende, quadri e suppellettili ondeggiarono e caddero sotto le sue mani frenetiche. Pianse, gridò... Non c'era una via di uscita da quella stanza nera?

Finalmente la benedetta rotondità del pomello della porta, che non volle saperne di girare sotto il suo palmo sudato finché non lo impugnò con un lembo della camicia da notte. Poi giù per le scale a precipizio, correndo, scivolando, facendo gli ultimi scalini sul sedere, nel chiarore fioco del lampione attraverso le tende sporche...

Tutto le girava intorno. Era ancora intrappolata nell'incubo, perché la creatura continuava a tenersi avvinghiata alla sua mente...

Per due volte passò oltre la porta della cucina senza riuscire a localizzarla, ma infine la trovò e si catapultò di là, accendendo la luce con un colpo all'interruttore.

Tovaglia a scacchi; valigia; giacca di tweed. I suoi occhi afferrarono ogni cosa come un naufrago afferra un pezzo di legno galleggiante. La creatura sentì che cominciava a sfuggirle, lottando per tornare al mondo reale.

Ma peggio ancora, la creatura sentì su di sé due

paia di occhi lampeggianti d'odio. Il gatto maschio era sul piano scanalato del vecchio acquaio, il pelo ritto, il dorso inarcato, e questo era ancora il meno. La cosa davvero tremenda era la femmina, acciambellata su un patetico mucchio di vecchi stracci e giornali sbrindellati sotto il lavandino. Il suo odio era totalmente inamovibile, e adesso c'erano altri cinque sassolini aguzzi nella scarpa della creatura. Cinque pigolanti batuffoli di pelo si torcevano tra le zampe protettive della gatta...

La mente di Sally ebbe un tremendo sussulto quando la creatura se ne staccò, incapace di sopportare lo sguardo della gatta, così impenetrabile, alieno, colmo di un'ostilità viscerale.

Fuggì via, su per le scale e dritta filata nella soffitta, a rincantucciarsi nel suo angolo buio, tra il ripiano più alto di uno scaffale e il tetto.

Sprofondò nel caos, sapendo che c'era una stanza della sua casa in cui non avrebbe mai più osato entrare.

Intanto, in cucina, Sally chiuse la porta e le finestre, poi accese tutti i fornelli della stufa a gas. Boss si diede una scrollata, poi si strusciò contro le sue gambe, chiedendo un po' di latte.

«E così, hai moglie e figli,» disse Sally, scrollando la testa. «Ci mancava anche questa.»

Ma in quel momento non c'era niente al mondo che desiderasse più della compagnia dei gatti. Prese un pentolino e lo riempì fino all'orlo di latte.

Verso l'alba sentì Boss saltarle giù dalle ginocchia. Aprì gli occhi e lo vide sul davanzale. Voleva che lo facesse uscire.

«E va bene,» accondiscese con riluttanza, aprendo la finestra. Adesso sapeva che sarebbe tornato. E comunque il ronfante ammasso di gatta e micetti, ora sistemato sopra un mucchio di vecchie tende su una poltrona, non dava segno di volersi muovere. Non sarebbe rimasta sola...

Lasciò la finestra aperta. Non era una notte molto fredda, e la stanza ormai era fin troppo calda, con i fuochi della cucina economica che continuavano ad ardere.

Fu svegliata verso le otto da Boss che le era saltato in grembo senza tanti complimenti, sollecitandola ad alzarsi. Reclamava la colazione, e non era solo. C'era una femmina bianca e nera seduta a farsi le pulizie su un angolo del tavolo; e un'altra, bianca e rossiccia, era raggomitolata insieme alla mamma e i neonati, intenta a lavare un po' tutti. Le zie erano arrivate.

«Hai portato tutta la famiglia, eh?» apostrofò acidamente Boss. «Sicuro di non aver dimenticato qualche nonna?»

Lui diede un ronfo particolarmente selvaggio, e affondò di più le unghie nelle sue gambe.

«OK,» sospirò Sally. «Il signore desidera del polpettone? E magari qualche sardina di antipasto?»

I gatti le ripulirono la dispensa, poi, finalmente sazi, si misero comodi a lavarsi. Sally li osservò mangiando il suo pane tostato. Devo avere qualche rotella fuori posto, si disse. Solo le vecchie zitelle si riempiono la casa di gatti. La gente penserà che sono matta. I quattro gatti la guardarono con pacata amichevolezza, e questo in qualche modo le diede il coraggio di ricordare l'incubo di quella notte...

Poi i gatti si alzarono, uno alla volta. Si strusciarono l'uno contro l'altro, si annusarono, si stiracchiarono, cominciarono a gironzolare attorno.

La scena le ricordò qualcosa che aveva visto da qualche parte, forse in televisione.

Leonesse. Ecco che cosa. Leonesse che si preparavano alla caccia.

Ma santo cielo, avevano già avuto la loro colazione...

Boss andò alla porta e miagolò. Non la porta sul retro; la porta che dava sul corridoio, e sulla scala d'incubo. La mammina lo raggiunse. E poi la rossa Ginger. E infine la gatta bianca e nera che Sally aveva battezzato Domino.

Poiché Sally non apriva la porta, si voltarono tutti e quattro a fissarla, invitandola a muoversi con gentile fermezza e un'evidente urgenza.

Mio Dio, pensò. Stanno andando a caccia di qualunque cosa ci sia di sopra. E vogliono che mi unisca a loro...

Erano gli unici amici che avesse. Accettò di seguirli, ma prima di aprire la porta prese in braccio Boss. Lui non sembrò avere nulla in contrario; si sistemò comodamente tra le sue braccia, con le orecchie ritte e lo sguardo in avanti. Il suo corpo fremeva. Dal fondo della sua gola scaturiva un suono cupo e vibrante. Sally non riuscì a stabilire se stesse facendo le fusa o ringhiando sommessamente.

Le gatte avanzarono con passo felpato, guardarono le porte delle altre stanze al pianterreno, poi balzarono su per le scale. Annusavano ogni cosa, parlandosi nel loro misterioso linguaggio. Si muovevano come se fossero legate fra loro con elastici invisibili, oltrepassandosi l'una con l'altra, sbandando di qua e di là, ma senza mai che una si distaccasse troppo dal gruppo.

Al piano di sopra, passarono da una stanza all'altra, facendosi educatamente da parte per lasciare che Sally aprisse le porte, per poi saltare sui letti impolverati e annusare vasi da notte inutilizzati da molto tempo.

Ogni stanza era vuota; sinistra, polverosa, ma assolutamente vuota. Sally non aveva paura. Semmai, era percorsa da piccoli brividi di eccitazione.

Le gatte imboccarono la scala che saliva in soffitta. Adesso avevano serrato i ranghi, e i loro mugolii di incitamento erano più nervosi e impellenti. Andarono spedite alla porta del solaio angusto con la finestra di vetro giallo e attesero, i muscoli contratti pronti allo scatto, le orecchie tirate indietro.

Sally fece un respiro profondo e spalancò di colpo la porta.

Immediatamente fu assalita dal freddo: lo stesso freddo appiccicoso e sepolcrale della notte prima. Il corridoio e le scale sembrarono oscillare e crollare come scenari teatrali che stessero cadendo uno sull'altro.

Sarebbe scappata, ma gli artigli di Boss affondati nel suo braccio erano più reali del gelo e la vertigine, come un'ancora nella tempesta. Rimase dov'era: lo stesso fecero le gatte, sebbene si fossero acquattate a terra, strette una all'altra.

Gradualmente, il freddo e la vertigine svanirono.

Le gatte si rialzarono e si scrollarono, come dopo un acquazzone, ed entrarono una dopo l'altra nel solaio.

Sally le seguì, tremante.

Il freddo e la vertigine tornarono, ma erano più deboli di prima. Di questo si accorse perfino Sally. E durarono di meno, anche.

I gatti stavano fissando l'ombra fitta che si annidava in uno spazio racchiuso fra la solida muratura di due comignoli, il soffitto e l'ultimo ripiano di un alto scaffale di legno.

Sally aguzzò la vista, ma non riuscì a scorgere altro che una matassa intricata di ragnatele, i cui filamenti neri si muovevano agli spifferi d'aria che filtravano attraverso le tegole del tetto. Eppure sapeva che il suo nemico, il nemico che le aveva rubato qualcosa di prezioso, era là. E adesso che era confinato in quell'angolo, e non invadeva più l'intera casa con la sua presenza, riuscì a provare rabbia: una salutare, genuina rabbia.

Si guardò attorno, cercando un'arma. C'era una vecchia scopa appoggiata contro la parete. Mise giù Boss e brandì la scopa, colpendo furiosamente le ragnatele ondeggianti finché le ebbe abbattute tutte, dalla prima all'ultima.

Poi guardò i filamenti rimasti attaccati alle setole della scopa, chiedendosi che cosa aveva risolto sbaragliando un ammasso di ragnatele.

Ma Boss sembrò soddisfatto. Emise un lungo miagolio vittorioso, richiamando la truppa. Obbedienti al segnale, le femmine arretrarono lentamente verso la porta, senza distogliere i loro occhi verdi dall'angolo buio sotto il soffitto.

Sally uscì per ultima, chiudendo la porta. Poi seguì i gatti che si stavano ritirando in buon ordine, tornando dai micetti.

Intanto, nel solaio, la creatura era assolutamente immobile. Aveva imparato a conoscere i limiti della sua forza, raggiungendo un'importante frontiera della propria esistenza.

Era diventata saggia.

Sally sentì bussare alla porta sul retro. Era Mike Taverner. Voleva sapere se andava tutto bene. Gli era parso di sentire delle grida durante la notte...

«Era solo Jack lo Squartatore,» rispose Sally con un inedito sprazzo di umorismo. «Sei arrivato troppo tardi, mi ha già ammazzato.»

Lui ebbe il buon gusto di assumere un'aria contrita. Aveva un accattivante sorriso sghembo, quando era contrito. Così Sally gli offrì una tazza di caffè.

Mike si mise a sedere, e le gatte, dispettose e irriverenti, gli si arrampicarono addosso annusandolo dappertutto, fin dentro le orecchie, appollaiandosi sulle sue spalle, con le zampe anteriori sulla sua testa. Lui, molto educatamente, sopportò senza reagire, continuando a esibire il suo sorriso sghembo. «Ti si sono piazzati in casa, eh? Con i gatti è così: se gli si dà da mangiare, non se ne vanno più... Sono un vero flagello qui a Southwold, specialmente d'inverno. Se vuoi, posso chiamare la Protezione Animali...»

«Sono i miei gatti. Io amo i gatti.»

Lui la guardò perplesso. «Ma ti costerà un capitale mantenerli tutti...»

«So benissimo quanto costa mantenere dei gatti. E non credere che non possa permettermi di mantenerne un centinaio, se voglio.»

Di nuovo, Mike ebbe il buon gusto di chiudere il becco.

Da quel giorno, le cose andarono meglio per Sally. Mike Taverner passava a trovarla abbastanza spesso, e la invitò persino a cena a casa sua. Sally si aspettava che la serata sarebbe stata uno strazio, e fu piacevolmente sorpresa scoprendo che la signora Taverner non era affatto vecchia e pesante come aveva immaginato, ma una brillante cinquantenne che gestiva un negozio di abbigliamento, non parlava di isterectomie, e guardava le buffonerie sociali di suo figlio con un sorrisetto di ironica sopportazione.

I gattini crescevano; la casa si riempì di operai fischiettanti; quelli dell'azienda del gas finalmente arrivarono a installare la nuova cucina. E Sally si abituò a dormire sul divano di un piccolo tinello attiguo alla cucina, dove al risveglio c'era uno scorcio di mare a darle il buongiorno, e dal quale i gatti potevano entrare e uscire liberamente attraverso il passavivande.

Dormiva bene, di solito con i gatti che andavano e venivano tutta la notte. A volte si chiamavano l'un l'altro all'adunata con secchi miagolii d'allarme, si sentiva un concitato tramestio di zampe, e lei si svegliava tutta sudata. Il trambusto significava che la creatura si aggirava per la casa.

Ma non tentò mai un attacco; non con i gatti in circolazione.

E ogni giorno, Sally e i gatti facevano un giro di pattuglia in territorio nemico: quello che ormai Sally definiva, con un risolino nervoso, la rasatura quotidiana del solaio.

Ma la creatura non reagiva mai alle loro incursioni. Le spedizioni in soffitta stavano diventando una monotona routine, e ogni tanto un paio di gatti disertava, trovando più divertente rincorrersi su e giù per la prima rampa di scale.

Che follia, si diceva Sally. Che cosa avrebbe pensato Mike Taverner se solo avesse lontanamente immaginato quello che succedeva là dentro? Una volta, con la scusa di mostrargli come stava rinnovando il posto, gli aveva fatto visitare la casa, e alla fine del giro lo aveva portato su in soffitta, con tutti i gatti al seguito.

La creatura aveva sofferto parecchio a causa dell'anima elefantiaca e della tonante voce maschile di Mike...

Ma il confine tra la vittoria e la sconfitta è sottile, e solitamente fatto di pazienza.

La serata era iniziata in allegria. Mike sarebbe venuto a cena, e... Be', era sempre meglio che niente, no? Sally, con indosso il suo vestito più nuovo e un grembiule da macellaio, stava dando gli ultimi tocchi alla sua zuppa inglese. Una grossa costata di manzo avvolta nella carta insanguinata era appoggiata sopra il frigo, in attesa di essere trasferita sui fornelli lì accanto.

Sally aveva appena messo piede nel tinello per preparare la tavola quando sentì un fruscio allarmante...

Tornò indietro di corsa, giusto in tempo per vedere Boss annusare il pacchetto sanguinolento.

Avrebbe dovuto afferrarlo con fermezza; invece le venne istintivo di scacciarlo agitando furiosamente le braccia. Boss, preso dal panico, spiccò un enorme balzo verso la finestra. Spinta dalla poderosa spinta delle sue zampe posteriori, la zuppa inglese decollò e, dopo un breve volo attraverso la stanza, si autodistrusse sulle mattonelle del pavimento, spiattellando crema mista a schegge di vetro nel raggio di un metro.

Sally diede in escandescenze. Buttò fuori Boss dalla porta sul retro, riservò il medesimo trattamento a Domino, e sbatté la finestra sul muso di Mammina, che stava giusto per entrare.

Rimasero soltanto i micetti, con gli occhi a malapena aperti, che strisciavano e pigolavano nella loro cesta. Finalmente avrebbe avuto un po' di pace.

Forse Mike aveva ragione. Troppi gatti. Solo le vecchie zitelle un po' tocche avevano così tanti gatti. Quelli della Protezione Animali avrebbero certamente trovato da sistemarli...

Non si accorse che i micetti avevano smesso di strisciare e pigolare e cercare di sopraffarsi a vicenda. Che si erano fatti silenziosi e si stringevano l'uno all'altro in un angolo della loro cesta, ciascuno tentando disperatamente di mettersi al centro del cumulo di caldi corpi pelosi.

Raccattò la zuppa inglese spiaccicata e pulì il pavimento. Per il dessert, ripiegò su un budino istantaneo. Di un gusto che a Mike non piaceva, oltretutto. Be', peggio per lui. Chi credeva di essere, in fondo? Sempre a bivaccare nella sua cucina, aspettandosi di essere servito e riverito, con quella sua faccia da schiaffi... Pensa, vivere con quella faccia davanti per quarant'anni... poteva immaginarselo, mezzo pelato, con la camicia a scacchi, a grattarsi sotto le ascelle come una scimmia. E si era interessato seriamente a lei soltanto quando aveva saputo dei suoi soldi... Che andasse al diavolo. Meglio vivere da sola...

Mike fu abbastanza sfortunato da suonare proprio a quel punto. Aveva portato del vino. Chateauneuf-du-Pape, andava bene? Com'era tronfio! Così sicuro di averla in pugno.

Fece una delle sue goffe battute, e Sally decise di prenderla nel modo sbagliato. La sua voce si fece tagliente. Lui protestò, assumendo un irritante tono lagnoso. Lei gli disse quel che realmente pensava di lui, e Mike infilò la porta offeso a morte, assicurandole che non l'avrebbe più disturbata.

Bene. Bella liberazione. Molto meglio vivere per conto proprio nella sua bella casa, senza un uomo goffo, grossolano e ingombrante tra i piedi...

Ma la sua rozzezza le aveva fatto venire mal di testa. Forse le conveniva prendere un Mogadon e stendersi. Improvvisamente si sentiva infreddolita e terribilmente stanca... ma sì, meglio dormirci sopra.

Boss quasi impazziva al pensiero della costata; Mam-mina era in pena per i suoi piccoli; e il saliscendi della finestra era difettoso. Cinque minuti di lavoro, e la finestra era aperta. Mammina andò dritta dalla sua nidiata, e Boss dritto alla costata. In due soli colpi aveva aperto il pacchetto, diffondendo per tutta la cucina l'odore pungente del sangue. Ginger e Domino apparvero come dal nulla. Mammina, assodato che la sua prole era sana e salva, si affrettò a unirsi alle compagne in una schiera famelica intorno al frigorifero.

Nella loro eccitazione, i gatti non si erano accorti della creatura. Era nel tinello con Sally, dietro una porta chiusa, intenta ad assorbire con discrezione il suo nutrimento.

Ma a Boss non era certo sfuggita l'invadenza con cui le sue femmine si protendevano su per la liscia parete del frigorifero, tentando di ghermire il trofeo che stringeva fra i denti, e ne era alquanto indispettito. Era chiaro che lì non sarebbe riuscito a mangiare un boccone in santa pace. Così, inarcando superbamente il collo per tenere il bistecccone ben sollevato da terra, saltò giù, poi sul davanzale, e fuori nella notte.

Sfortunatamente, era una di quelle notti calde e umide che accentuano ogni odore, e una lieve brezza stava soffiando da nord verso il centro di Southwold. Molti altri avidi nasi si alzarono a fiutare il nuovo, affascinante aroma portato dal vento.

In un attimo, Boss si rese conto di non essere più solo. Si lanciò in una fuga frenetica, zigzagando tra i familiari vicoli. Ma non era l'unico a conoscere bene la zona, e la scia odorosa che lo seguiva emetteva segnali chiari quanto i fasci di luce del faro di Southwold. Perfino i ben pasciuti mici domestici fiutarono la pista; per non parlare dei disperati mezzi morti di fame...

Boss non era uno stupido. Fece un rapido dietrofront e tornò a casa a spron battuto. Sfrecciò come un razzo attraverso la finestra della cucina, lasciando una vistosa traccia di sangue sulla vernice ingiallita, e riguadagnò il frigorifero. Nel giro di un minuto c'erano dieci gatti estranei nella stanza. Altri due minuti, ed erano diventati venti.

Boss balzò su un alto scaffale in un estremo tentativo di evasione. Un intero ripiano di vasellame e pentole crollò rovinosamente, con un fracasso indescrivibile. E intanto continuavano ad arrivare altri gatti.

Nella stanza accanto, la creatura prese un tale spavento da perdere il controllo delle operazioni. Sally si svegliò di soprassalto dal suo incubo e corse urlando verso il tepore della cucina, con la creatura ancora impigliata nella mente.

Per la creatura, entrare nella cucina piena di gatti fu come rotolarsi su schegge di vetro. Batté silenziosamente in ritirata, rifugiandosi nel suo angolo della soffitta.

Purtroppo per lei, Boss ebbe più o meno la stessa idea. La porta del corridoio era socchiusa. In un guizzo fu dall'altra parte e su per le scale, inseguito dall'orda famelica.

Intanto, nella cucina rimasta semideserta, risuonarono dei vigorosi colpi alla porta. Un istante dopo Mike Taverner fece irruzione nella casa, in una vestaglia color prugna che non gli donava affatto. Abbracciò Sally con impeto, chiedendo di sapere che cosa stava succedendo.

Sally poté solo indicare di sopra, senza dire nulla.

Quando raggiunsero l'ultima rampa di scale, trovarono la porta del solaio aperta, e Boss sulla soglia a difendere strenuamente il suo ultimo baluardo, sferrando unghiate a destra e a manca e ringhiando ferocemente fra i denti stretti sulla costata di manzo.

Intanto la creatura, disorientata e sconvolta da tutti quei nemici, indebolita dalla fame e distrutta dalla frustrazione, era acquattata sul suo ripiano alto, tentando di uscire all'aria aperta attraverso la solida muratura dei comignoli. Ma era vecchia, vecchia...

Boss, cercando disperatamente scampo dai troppi artigli che minacciavano la sua bistecca, adocchiò lo stesso ripiano alto e spiccò il balzo.

Trenta paia di voraci occhi felini lo seguirono.

Per la prima volta nella sua lunghissima esistenza, la creatura seppe cosa significa essere una preda...

Perse ogni desiderio di andare avanti.

In mezzo a tutto il baccano, nessuno udì il breve rumore, come di un piccolo scoppio. Ma all'improvviso si sentì un tanfo infernale, un puzzo di immondizia, di cimitero, di acqua putrida.

E la casa fu libera da qualunque cosa l'avesse infestata, eccetto la polvere, le ragnatele, gli onischi e i tarli. Libera per sempre.

Dare un nome ai gatti

I negozianti lo chiamavano semplicemente Old Blackie. Sebbene avesse soltanto quattro anni, la solidità della sua struttura, la foltezza del pelo che lo proteggeva dal freddo della notte negli angoli ventosi, le ferite sulla fronte e le orecchie mai guarite del tutto lo facevano apparire più vecchio di quanto fosse.

Era molto popolare; la cassiera del macellaio gli teneva da parte ritagli di carne che lasciava cadere di nascosto sulla segatura quando il principale non guardava. Il gatto doveva averne mangiata di segatura in vita sua. Gli era permesso di sonnecchiare al sole di mezzogiorno che faceva brillare come oro la paccottiglia di ottone nella vetrina dell'ufficio postale. La sera, si acciambellava sul piccolo sgabello dietro il bancone dello spaccio di bevande alcoliche, dove il flusso di aria calda che usciva dal condizionatore gli accarezzava incessantemente il pelo. Solo quando i negozi chiudevano si ritrovava abbandonato a se stesso, senza comodità ed esposto alle intemperie.

Se avesse potuto darsi un nome lui stesso, probabilmente si sarebbe chiamato Gatto Nero. Era del tutto consapevole di essere un gatto, acutamente interessato alla gattitudine; la sola vista di un altro paio di orecchie feline che spuntavano da dietro una siepe lo faceva irrigidire fino a fremere in tutto il corpo, sferzando l'aria con la coda e muovendo rapidamente la testa di qua e di là per avere una visuale migliore. E doveva essere convinto della sua nerezza, a giudicare da come si lustrava amorevolmente il pelo con la lingua rosea. Era pulito, per essere un randagio, e molto coscienzioso. Non faceva mai i suoi bisogni nei negozi che visitava: aveva imparato da tempo che gli sarebbe costato gli approvvigionamenti di cibo e calore.

Era estremamente affettuoso, ma doveva accontentarsi delle briciole di attenzione di negozianti indaffarati che rispondevano ai suoi approcci audaci e garbati con una carezza distratta, alla quale andava incontro spingendo in su la testa. Nel suo intimo, sentiva che non era abbastanza, che gli mancava qualcosa, anche se non sapeva esattamente che cosa.

Tuttavia continuava a cercarlo, tenendosi costantemente vigile, aperto a qualsiasi nuova opportunità.

Fu così che trovò il pensionato studentesco.

Una notte, a tarda ora, incontrò un ubriaco. Provava sentimenti contrastanti nei confronti degli ubriachi. Erano una fonte d'interesse, quando tutti gli altri erano rintanati nella calda sicurezza delle loro case. A volte stramazzavano a terra e avevano grandi difficoltà a rialzarsi: tra un tentativo e l'altro potevano andare avanti anche mezz'ora, bofonchiando e grugnendo per lo sforzo e la frustrazione. A volte si alleggerivano dietro le incolte siepi di ligustro di giardini trascurati, con il suono scrosciante di una cascata. A volte si lasciavano scivolare sul selciato, con la schiena contro un muretto, e si sfogavano con Blackie, scaricandosi la coscienza dal peso delle loro colpe.

«Ah, Blackie, se tu sapessi! Mi sono comportato da mascalzone per tutta la vita,» biascicavano con voce querula. «Ho commesso tanti di quei peccati... peccati mortali!» Poi si mettevano a piangere e si sentivano meglio. E il gatto lì seduto, silenzioso e obiettivo come un prete cattolico in un confessionale.

A volte gli davano del cibo; gli avanzi di un sacchetto di patatine, che gli facevano venire i brividi e scuotere la testa per il forte sapore del sale; o i rimasugli sbocconcellati di un pezzo di pasticcio di maiale in crosta; spesso tutta crosta. Ma come si suol dire, quel che non strozza ingrassa; Blackie spazzava tutto, individuando anche al buio fino all'ultima briciola.

Ma l'ubriaco di quella particolare notte era differente. Giovane e di bell'aspetto, addirittura fine, malgrado la barba incolta e i capelli arruffati che dovevano vedere raramente un pettine, a meno che fossero le sue dita lunghe e affusolate a scorrere tra le ciocche durante accalorate discussioni tra studenti. Era infagottato in un montgomery, ma la sua fisionomia era delicata, e nel complesso aveva un suo stile, per trasandato che fosse.

Aveva modi educati e una voce gentile, ma nel suo tono risuonò una nota di disperazione mentre si sedeva pesantemente su un muretto fuligginoso e diceva al gatto: «A che diavolo serve tutto questo, gatto? Che accidenti di senso ha? Uno dovrebbe laurearsi, trovare un impiego remunerativo, sposarsi e mettere su famiglia, rassegnarsi a sopportare una moglie brontolona e una schiera di marmocchi urlanti, pagare le tasse, diventare vecchio, ritirare la pensione e morire. Me lo dici che senso ha tutto questo?»

Il gatto lo annusò, trovò che aveva un odore rassicurante, puzzo di birra a parte, e gli si accomodò in grembo.

«A te non importa un bel niente, eh, fortunato demonio nero?» disse l'ubriaco. «Essere o non essere, questo è il dilemma...» Andò avanti a declamare per un pezzo, ma al gatto non venne a noia, dal momento che non capiva una parola. Il calore delle gambe dell'ubriaco contro la sua pancia gli diffondeva un piacevole tepore in tutto il corpo. Si mise a fare le fusa.

«Gatto, tu sei palesemente un filosofo,» decretò l'ubriaco. «Ti chiamerò Satana, perché è chiaro che preferiresti dominare all'inferno che servire in paradiso.» E con tutta l'arroganza dei giovani, convinti che l'intero mondo sia stato creato a loro beneficio, prese il gatto e so lo portò a casa.

Il gatto non fece obiezioni; qualunque cosa era meglio di come si stava prospettando la nottata, ad aspettare l'alba accucciato in qualche angolo mentre il gelo si faceva sempre più intenso.

Ci fu un gran armeggiare con le serrature che mise abbastanza a dura prova la pazienza del gatto, dato che la sua testa continuava ad essere schiacciata sotto l'ascella dell'ubriaco. Ma alla fine entrarono in una stanza dove furono accolti dal confortevole calduccio emanato da una vecchia stufa a gas in cui guizzava una fiamma azzurra.

L'ubriaco si schiantò sul letto, tanto in pena per il desolato futuro dell'umanità che in un attimo russava sonoramente, la giovane guancia, liscia e rosea sopra la barba, premuta contro la grigia ruvidezza del montgomery. Il gatto esplorò la stanza; scarpe e scarponi ammassati alla rinfusa sotto il letto; camicie e maglioni sporchi sparpagliati sul pavimento; una pila di piatti da lavare nell'acquaio sui quali rinvenne diversi pezzi di cotenna di bacon, e dell'uovo rappreso che grattò via con la sua lingua scabra.

Verso l'alba, il denaro nel gasometro si esaurì, la stufa si spense con uno scoppiettio, e la stanza si raffreddò. Il gatto abbandonò il suo posto sul tappeto vicino alla stufa e si insinuò fra le braccia del ragazzo addormentato e le pieghe del montgomery, lasciando spuntare solo la testa, con le orecchie ritte e vigili.

Così, qualche ora dopo, non gli sfuggì il suono di passi leggeri e felpati sulle scale fuori della stanza, il tintinnio di bottiglie di latte al portone, e poi i passi che tornavano indietro. Il suo olfatto percepì l'odore di un essere umano, molto fresco e pulito. Guardò il suo ospite, che ancora dormiva della grossa, e decise che da quella parte non c'era da aspettarsi niente per un pezzo. Sgusciò con delicatezza fuori delle sue braccia avvolgenti, si stiracchiò per bene, saltò a terra con un leggero tonfo, sbadigliò, si soffermò per un momento a leccarsi una spalla con la lingua rosa, poi sgattaiolò attraverso la fessura della porta lasciata socchiusa e seguì il suono dei passi.

«Ciao!! Come ti chiami, micio? Da dove salti fuori? Come sei entrato qui?»

La sua nuova amica era paludata in una vestaglia trapuntata lunga fino ai piedi, bianca a fiorellini blu. Da sotto l'orlo spuntava un pratico paio di sandali di cuoio marrone. I capelli biondi erano raccolti in una severa coda di cavallo trattenuta da un elastico, tanto tirati da tenderle la pelle sugli zigomi e allungare leggermente i grandi occhi azzurri con un effetto non spiacevole a vedersi. I suoi occhi erano limpidi, nonostante fosse molto presto, le sue guance rosee, e il suo sbadiglio (nascosto educatamente col dorso della mano, anche in privato) sembrò soddisfatto piuttosto che assonnato. Evidentemente era andata a letto presto e aveva dormito bene.

«Sei un clandestino, lo sai? I gatti non hanno il permesso di entrare in questo pensionato. Ma almeno un po' di latte posso dartelo, prima di metterti fuori...»

La parola "latte" era l'unica di cui il gatto avesse colto il significato. Rizzò le orecchie e la precedette di corsa nella cucina, piccola ma linda e ordinata.

Il gatto e la ragazza erano seduti uno di fronte all'altro al piccolo tavolo con la sua impeccabile tovaglia di tela indiana a strisce bianche e blu. C'erano così tante cose nuove da osservare, per il gatto. Il bricco del caffè, lucente e argenteo, dal cui beccuccio uscivano vapore e un aroma interessante. Il tovagliolo coordinato alla tovaglia, che spuntava fuori da un anello argentato. Una scodella di corn-flakes, fette di pane tostato, la marmellata fatta in casa in una coppetta col supporto d'argento. Contemplò il tutto con solennità, passando in rassegna ogni cosa con i suoi occhi verdi.

«Sei davvero un gatto educato. Mi ricordi un po' il vecchio Binkie. Però sei stato in giro ad azzuffarti, ragazzaccio. Chissà se mi lasceresti pulire quelle ferite...»

Il gatto seguì con lo sguardo la dorata fetta di pane tostato che la ragazza si stava portando alla bocca. La osservò morderne un angolo con gusto. Aveva delle belle labbra rosse, e i denti erano bianchi e regolari...

«Oh, poverino, hai fame! Ti va un po' di pane tostato? Veramente, i gatti non dovrebbero mangiare a tavola... Oh, be', ormai sei qui.»

Il gatto sgranocchiò con delicatezza la croccante fetta di pane, piegando la testa di lato, e infine ripulì la tovaglia dalle briciole. La sua ospite intanto stava consultando un'agenda fitta di annotazioni scritte in inchiostro blu con grafia minuta e ordinata.

«Dunque... alle dieci, i poeti metafisici. Alle undici e mezzo il seminario. Pranzo con Sheila, e hockey nel pomeriggio. E stasera finire la relazione per Simms. Perfetto. E per di più è una bella giornata di sole!» Ma a dispetto della sua ottimistica dichiarazione, il suo tono era un po' malinconico. «Sai, gatto, andare all'università non è proprio come mi aspettavo. Non è male, intendiamoci. Però in fondo è una semplice scuola, solo più in grande. Il che non è molto divertente, quando ti ritrovi con una gomma della bici bucata dall'altra parte del campus. E tutto il traffico di portare la roba avanti e indietro dalla lavanderia... uffa!»

Quando fu pronta per uscire, con un leggero tocco di rossetto e la sua sciarpa del college avvolta fieramente intorno al collo lungo e sottile, chiuse con cura la porta e si avviò giù per le scale. Al piano di sotto, ebbe un brivido di disgusto sentendo il russare proveniente dal buio dietro la porta socchiusa, accompagnato dalla puzza di calzini sudati e birra... Certa gente era un disonore per l'università.

Girò attorno lo sguardo in cerca del gatto, con l'intenzione di prenderlo e metterlo fuori, restituendolo al mondo a cui apparteneva di diritto, ma non lo vedeva da nessuna parte. Chissà dove si era cacciato. E lei non aveva un minuto da perdere, o avrebbe fatto tardi per la lezione delle dieci...

Quella sera, rientrando, trovò il gatto ad aspettarla davanti alla sua porta. Sapeva che avrebbe dovuto metterlo fuori, ma aveva avuto una giornata disastrosa. Bewdley - l'odiosa creatura del piano di sotto - non solo si era presentato in ritardo alla lezione sui metafisici, e con tutta l'aria di aver dormito negli stessi vestiti che aveva indosso, ma aveva passato tutto il tempo a mettere in difficoltà il povero professor Simms con domande importune. Come osava mettere in discussione fatti risaputi su John Donne, e proprio quando lei aveva appena finito di annotarli meticolosamente sul suo blocco per gli appunti? Bewdley lo faceva solo per provocare, per pavoneggiarsi davanti ai suoi orribili amici seduti nell'ultima fila dell'auditorium. Bewdley avrebbe dovuto essere buttato fuori dall'università per le sue ripetute azioni di disturbo durante le lezioni.

E poi, il seminario. Di nuovo Bewdley, con i suoi interventi sarcastici. Sempre a passarsi le mani tra quei capelli ammatassati come un nido di uccelli. Ma non ce l'aveva un pettine, quell'essere? E come se non fosse già abbastanza detestabile, aveva anche dovuto interromperla mentre stava esponendo la sua relazione, commentando in quel suo modo sprezzante: «Ma tu credi proprio a tutto quello che ti dicono gli adulti? Guarda che non sei più al liceo. La vita è qualcosa di più che prendere il massimo dei voti...» Lo avrebbe preso a pugni. Era anche un nano, oltretutto. E puzzava.

Poi, il pranzo con Sheila, che si era presentata con quell'insopportabile smorfiosa di Laura Freeland. Avevano parlato di vestiti per tutto il tempo. E quella vipera di Laura non aveva perso occasione di fare uno dei suoi commenti maligni, dicendo che le inglesi della buona società di provincia sono tutte sedere e niente tette...

E per finire, avevano perso l'incontro di hockey contro la squadra femminile di Durham per quattro a tre.

Le ci voleva una bella tazza di tè, e un po' di conforto. E in quel momento le sembrava che il gatto fosse l'unico amico che aveva al mondo. Mise il bollitore sul fuoco e gli raccontò tutto. Il gatto ascoltò con molta serietà, alzando la testa dalla sua ciotola di latte.

Tirate le tende per chiudere fuori l'orribile giornata, si sistemò vicino alla stufa accesa, con il gatto che sonnecchiava sul tavolino lì accanto. La presenza del gatto la calmò. Ripensò alle cose che aveva detto quel tanghero di Bewdley, e all'improvviso le fu chiaro che le sue argomentazioni erano fasulle. Be', non interamente fasulle; ma ora vedeva due punti in cui avrebbe potuto prenderlo in castagna. Verificò diligentemente le sue affermazioni sul libro a cui aveva fatto riferimento. Tipico di Bewdley: tanti ragionamenti arguti e una brillante dialettica, ma non si era preso la briga di documentarsi a dovere.

Cominciò a buttare giù la sua replica a Bewdley, vedendosi ancora davanti il suo ghigno sardonico, e scrisse con insolito umorismo. Le veniva così facile controbattere, quando polemizzava con Bewdley nella propria mente. Quando ebbe finito, guardò la sua piccola sveglia da viaggio e vide che era mezzanotte. Dio, com'era volato il tempo! Era stato eccitante. Come non lo era mai stato prima. Era impaziente di vedere la faccia di Bewdley al prossimo seminario...

Guardò il gatto, e il gatto ricambiò lo sguardo. Sentendosi per una volta saggia e potente, impose la saggezza e il potere al gatto.

«Dovresti chiamarti Salomone,» gli disse. «Sono nero ma piacente, o voi figlie di Gerusalemme,» aggiunse ridacchiando.

Si domandò che fare con il gatto. Sembrava crudele spedirlo fuori nella notte, dopo che l'aveva aiutata così tanto. Ma era stato chiuso dentro per almeno otto ore... doveva pure aver bisogno di...

Il gatto risolse il dilemma per lei. All'improvviso rizzò le orecchie e corse alla porta, chiedendo di uscire.

Saggia bestiola...

Il gatto sfrecciò giù per le scale, ed era già ad aspettare davanti al portone mentre Bewdley stava ancora armeggiando con la chiave.

«Ciao, Satana,» lo salutò Bewdley, vedendoselo passare fra le gambe non appena ebbe aperto il portone. «Dove vai così di corsa? Oh... capisco.» Attese con tolleranza mentre il gatto gironzolava e annusava attorno, scegliendo finalmente un certo posticino discreto dietro uno sparuto cespuglio di ligustro. Era di buon umore. Aveva avuto una giornata soddisfacente: a cominciare dall'aver messo al suo posto quella bionda spocchiosa del piano di sopra. Così pedante, e fiera di esserlo. Doveva sentirsi Miss Perfezione, con il suo puntiglioso quadernetto di appunti. Belle gambe, però. Niente male nel complesso, se ti piaceva il tipo dell'amazzone...

Quando ebbe finito, il gatto lo seguì su per le scale, lavorando violentemente di naso.

«Ti ho portato un vol-au-vent alla carne...»

Si era tutto sbriciolato nel suo sacchetto unto, lungo l'erratico percorso fino a casa. Ma il gatto mangiò fino all'ultima briciola, poi si sistemò per la notte tra le coperte ammucchiate del letto sfatto.

Due sere dopo, Bewdley diede una delle sue feste. Aveva di gran lunga la stanza più spaziosa del pensionato, al primo piano, e ne approfittava. Il volume del giradischi era talmente alto che rimbombava attraverso l'impiantito e il sottile tappeto della stanza al piano di sopra. Tutti dischi strani. Juliette Greco; il ringhio rabbioso e dissacrante dei luciferini Rolling Stones; le interminabili nenie orientali di Ravi Shankar. L'odore acre di incenso e fumo di sigarette - o peggio - filtrava attraverso le fessure dell'assito...

Si sarebbe lamentata di nuovo con la direzione. Ma sarebbe stata l'unica a reclamare, perché Bewdley astutamente invitava gli altri inquilini alle sue feste, e loro ci andavano. Alcuni lo trovavano brillante; qualcuno lo considerava il Jean-Paul Sartre del college, col suo maglione nero a polo con le maniche tirate su fino ai gomiti e i suoi jeans neri, la Gauloise perennemente penzolante a un angolo della bocca e il suo modo di gesticolare con quelle mani affusolate ed espressive.

Aveva mani piuttosto eleganti... Ricacciò indietro l'apprezzamento. Bewdley era un maiale, un verme, un...

Batté furiosamente contro il pavimento con l'estremità del suo bastone da hockey. Dal piano di sotto ricambiarono con un boato derisorio. La detestavano proprio. Dovevano crederla una specie di mostro.

Ma lei non era affatto un mostro...

Stava per infilare la testa sotto i cuscini per soffocare il suo pianto, quando sentì grattare alla porta. In un subitaneo impeto di rabbia, andò ad aprire, determinata a spaccare la testa a qualcuno.

Ma era solo Salomone, la coda ritta in segno di saluto. Lo prese in braccio e lo accarezzò, ma lui si divincolò dalla sua stretta, saltò a terra e corse giù per le scale. Probabilmente voleva che lo facesse uscire... Lo seguì con riluttanza, avvicinandosi di soppiatto al covo di fracassoni al primo piano. Proprio mentre vi passava davanti, qualcosa o qualcuno sbatté contro la porta con un tonfo tremendo, e ci fu un'altra esplosione di risa di scherno sopra la lagna indiana. Ma, grazie a Dio, la porta non si aprì.

Una volta nell'atrio, Salomone non sembrò aver fretta di uscire. Si fermò ad annusare una porticina nel sottoscala. Esasperata com'era, le venne un'improvvisa curiosità di vedere che cosa c'era dietro. Forse scendeva in una cantina, dove avrebbe potuto trovare un po' di benedetto silenzio...

Ma era solo la cabina elettrica...

A un tratto, un demone s'impossessò di lei. Le valvole erano distintamente contrassegnate. Quella con la targhetta "PRIMO PIANO"...

In un attimo tirò fuori la scatola, allentò il fusibile in modo che il circuito fosse interrotto, ma a prima vista sembrasse tutto a posto, spinse la scatola di nuovo dentro e chiuse la porta della cabina.

Di sopra, Ravi Shankar aveva smesso di lamentarsi. Si sentì qualcuno gridare: «Bewdley, questo dannato catorcio di un giradischi non va più!»

Oh, magnifico! Non si erano nemmeno accorti che mancava la corrente! Dovevano essere lì a lume di candela, come facevano sempre. Candele infilate in vecchi fiaschi di Chianti. *Très, très chic!* Idioti ubriaconi!

Girò attorno lo sguardo in cerca di Salomone (benedicendolo per averla salvata da una notte insonne, nella sua infinita saggezza) ma il gatto era sparito. Grata e silenziosa, oltrepassò in punta di piedi la stanza maledetta e andò a dormire.

Nel frattempo, Salomone aveva grattato alla porta della stanza maledetta e vi era stato immediatamente ammesso, accolto al grido di "Satana, Satana" e "Facciamo una messa nera!"

Ma ormai, insieme a Ravi Shankar se n'era andato anche lo spirito della festa. Bewdley iniziò una discussione sulle teorie filosofiche del dottor John Wisdom che ben presto fece scappare tutti, eccetto il suo fedele compare fisicista Jack Nida.

Salomone-Satana, soddisfatto, si scavò una nicchia nel letto sfatto, accomodandosi per il meritato riposo.

Una settimana dopo, lei decise di essere giunta a un bivio a proposito di Salomone. Doveva buttarlo fuori una volta per tutte, o deferirlo alle autorità del college, o adottarlo. Solo che poi si rese conto che non poteva assolutamente buttarlo fuori, con la tormenta di quella notte. E se lo avesse denunciato, probabilmente lo avrebbero portato via e fatto sopprimere. Quindi, non restava che l'adozione. Ma che ne sarebbe stato di lui, quando fosse tornata a casa?

Be', lo avrebbe portato con sé. Alla mamma non sarebbe dispiaciuto: lei amava i gatti. E Binkie avrebbe avuto un amico; sarebbero stati proprio carini, due gatti neri che giocavano insieme. E Salomone era così dolce e beneducato che non sarebbe nemmeno stato necessario castrarlo... Come prima cosa, doveva comprargli un collarino con la medaglietta per il nome.

Intanto, al piano di sotto, Satana stava presenziando a una riunione in cui sei atei erano impegnati a dimostrare a una malcapitata rappresentante del Movimento degli Studenti Cristiani che credere in Dio era da allocchi, che Dio non esisteva, e anche ammettendo che esistesse, era chiaramente il tipo di Dio che strappava le ali alle mosche per divertimento. Dal gruppo si levò un grido di trionfo quando la poverina, di fronte all'ultimo argomento di Bewdley, perse completamente la propria fede, e se ne andò insieme al suo ragazzo - che l'aveva slealmente attirata in quella trappola - in tale stato confusionale che la sua seduzione sarebbe stato l'epilogo scontato della serata. Il gatto nero si alzò con uno sbadiglio e si stiracchiò.

«Ma guardatelo, il perfido demonietto,» commentò Bewdley con ammirazione. «Si direbbe che capisca ogni parola. Dovremmo davvero fare una messa nera, una volta o l'altra...»

Il seminario durante il quale aveva letto il suo contrattacco a Bewdley era andato anche meglio del previsto. Due delle sue argomentazioni avevano centrato il bersaglio come siluri, facendo saltare per aria quelle dell'avversario. A un certo punto, uno degli amici di Bewdley si era voltato verso di lui, dicendo: «E adesso come te la cavi, Bewdley?»

E tutto quello che Bewdley era riuscito a mettere insieme a mo' di replica era stato un mugugno sul fatto di non avere avuto il tempo di spulciare le pubblicazioni letterarie. Poi, stranamente, tutti si erano rivoltati contro di lui. Persino il professor Simms, sempre così mite, aveva infierito dicendo che Bewdley stava mandando in pappa la sua mente accademica di prima categoria a forza di bere.

Bewdley non era davvero così popolare e intoccabile come lei aveva creduto. Più che ammirarlo, gli altri lo adulavano perché avevano paura di lui.

Che soddisfazione! Bewdley era così pallido e smarrito che quasi le era dispiaciuto per lui.

Tornando a casa, si era fermata al negozio di articoli per animali a comprare il collare e la medaglietta per Salomone. Lui se lo era lasciato mettere senza storie, e poi se n'era andato a farsi un giro, tutto impettito.

Stava per prepararsi una tazza di tè, quando sentì bussare alla porta con tanta prepotenza che si arrabbiò prima ancora di avere aperto.

Era Bewdley. Con Salomone in braccio.

«Che diavolo significa questo?» la aggredì, furente. «Come sarebbe a dire, Salomone? Lui si chiama Satana! È il mio gatto, dannazione! Sono io che gli do da mangiare!»

«Ah, sì? E che cosa gli dai? Birra?» Non era proprio in vena di tollerare le intemperanze di Bewdley.

«Torte. Vol-au-vent. Glieli porto dal Bun Room...»

«Torte?? Vol-au-vent?? Che razza di valore nutrizionale avrebbe questa roba? Qui lui mangia Kitekat. A te non si potrebbe affidare nemmeno un topo! Ridammelo!»

«Un cacchio!» strepitò Bewdley. Una volta tanto, il suo dono dell'eloquio forbito lo aveva abbandonato. I due si fronteggiarono nelle prime avvisaglie di quello che prometteva di essere un combattimento furibondo. Salomone-Satana, gli occhi sbarrati, le orecchie indietro, si affrettò a saltare via dalle braccia di Bewdley, atterrando sopra il guardaroba. Fu allora che lei si rese conto di essere non solo un centimetro più alta di Bewdley, ma anche notevolmente più forte. Gli diede uno spintone tremendo, e lui barcollò attraverso la stanza, sbatté la testa contro la maniglia di un pensile e si accasciò a terra, privo di sensi.

Lei corse ad inginocchiarsi al suo fianco. Che ossa sottili aveva! Il naso era così fine, leggermente aquilino. E che belle ciglia lunghe frangiavano i suoi occhi chiusi. E la pelle, liscia e fresca... Adesso che lui era in stato di incoscienza, e lei in preda al panico, improvvisamente vide quello che il suo codazzo di donne vedeva in Bewdley. Il piccolo ragazzo smarrito che cavalcava il mostro e non poteva scendere nemmeno volendo.

In quel momento Bewdley aprì gli occhi e si trovò davanti quelli di lei, enormi per la paura e traboccanti di sincera preoccupazione... teneri, addirittura. Ne fu assolutamente incantato. Ma, essendo Bewdley, tutto quel che gli venne da dire fu: «Devi avermi squarciato il cranio.»

«Sciocchezze! Ho visto tagli ben peggiori sul campo da hockey.»

«Non riesco a muovere le gambe,» si lagnò astutamente Bewdley. «E vedo doppio!»

«Commozione cerebrale!» Di nuovo allarmata, ed eminentemente pratica, lo tirò su di peso e lo distese sul divano.

Bewdley rimase immobile, con gli occhi chiusi, crogiolandosi nel ricordo delle sue braccia forti intorno al proprio corpo esile, e del calore e del volume del suo seno.

Alla fine, però, lei trovò il modo di farlo alzare, con la minaccia di chiamare un medico e con una tazza di tè caldo. Ma non erano più gli stessi di prima.

Lei si disse che tutto ciò di cui lui aveva bisogno era una guida ferma. Doveva essere stato trascurato da piccolo...

Lui si disse che aveva sempre ammirato le donne ben piantate, e non aveva mai avuto una vera bionda: solo la varietà artificiale...

Mai all'università si era vista una coppia peggio assortita, una storia d'amore più improbabile della loro. Come se un coccodrillo e una giraffa si fossero presi una cotta l'uno per l'altro.

Lei lo voleva perché le dava un senso di pericolo. La sua vita era troppo bene organizzata, e si annoiava. Lui era la sua nuova Nook's Cave.

Anni prima, quando era ancora una bambina, aveva preso l'abitudine di andare a Nook's Cave al crepuscolo, camminando attraverso le ombre fitte di vecchie querce contorte fino al centro del bosco, dove una piccola sporgenza di arenaria si innalzava dal tappeto di foglie marce, e sotto la sporgenza si apriva una caverna: profonda, angusta, umida e buia. Non c'era mai nessuno nel bosco, e non c'era mai niente nella caverna. Ma lei ogni volta vi si avventurava con le gambe tremanti per un delizioso senso di terrore, e ne usciva con un profondo senso di sollievo mescolato a un'altrettanto profonda delusione. A volte ci andava ancora, durante le vacanze; ma non aveva mai capito di che cosa andasse in cerca.

Anche Bewdley con lei si sentiva un po' ritornare all'infanzia. Un'infanzia di letti rifatti di fresco e camicie pulite ogni giorno, con sua madre che faceva funzionare tutto a puntino. Per reazione a tanto rigore, appena avuta un po' di autonomia si era rifugiato in un mondo di letti sfatti, nottate di baldoria e sbronze solenni, del quale peraltro cominciava a essere stanco. Ma ormai si era creato quell'immagine nel suo ambiente, e vi era rimasto intrappolato: finché non era arrivata lei.

Lei si diceva che lui era la sua piccola debolezza; qualcosa di marginale che poteva prendere e lasciare a suo piacimento. Lui si diceva lo stesso di lei. Si tenevano nascosti ai rispettivi amici, vergognandosi vagamente l'uno dell'altra. Si incontravano nei tempi morti della loro vita reale, tra il rientro pomeridiano e l'uscita serale, o nelle domeniche pomeriggio durante le quali prima non c'era mai niente da fare.

Il gatto faceva loro da tramite. Era deliziato di vedere che i suoi due padroni erano in buoni rapporti tra loro. Trotterellava da una stanza all'altra, e loro presero a mandarsi a vicenda dei bigliettini infilandoli nel suo collare. Quando stavano seduti vicini - da lei sul divanetto sotto la finestra, da lui sulle poltrone mezze sfondate ai lati della stufa a gas con la sua fiammella fievole e barbugliante - lui si piazzava in mezzo e faceva le fusa. Si erano anche accordati sul suo nome, con un miracoloso compromesso soddisfacente per entrambi. In assenza dell'altro, ciascuno continuava a chiamarlo col nome che gli aveva dato - lei Salomone, e lui Satana. Quando invece erano insieme, lo chiamavano "S", o "Esse". Il gatto rispondeva comunque; per lui, i suoni significavano soltanto che c'era cibo in arrivo, o un po' di coccole.

Stavano seduti nella stanza di lei a bere il tè in delicate tazze di porcellana, o in quella di lui a bere caffè in pesanti tazzotte scure sulla cui pulizia era meglio non indagare. Lui costruiva eccitanti castelli in aria, cercando di dimostrare che la bontà umana era tutta un'illusione, o che Dio non esisteva. Lei attendeva pazientemente il suo primo passo falso, la sua prima distorsione di fatti o citazione errata, e faceva crollare la sua bella casetta di carte.

«Dio, sei talmente pragmatica!» brontolava lui con riluttante ammirazione, e poi si mettevano tutti e due a ridere.

Fu un periodo felice.

Poi, fatalmente, cominciarono a cercare di cambiarsi. Una sera, lei si era acconciata i capelli in una pettinatura elaborata, e a un certo punto un paio di forcine cominciò a scivolare via. Lui tolse anche le altre, facendole ricadere i capelli sulle spalle, lunghi, lisci e dorati, e commentò che così era sexy come Minou Drouet, che si esibiva nei cabaret della Rive Gauche a Parigi. Da allora lei cominciò a portare i capelli sciolti.

Lui le disse che il nero le sarebbe stato a meraviglia, con quei capelli biondi; e lei, facendo shopping in un momento d'ozio, provò un maglione nero a polo, poi una gonna di pelle nera, e per completare il tutto si comprò un paio di scarpe e calze di nylon nere. Dall'essere considerata dai compagni di college una sportivona totalmente priva di femminilità, si ritrovò a suscitare fischi di ammirazione...

Dal canto suo, lei lo attaccò sulla sua trascuratezza. Insisteva per lavare le sue tazze come Dio comandava; faceva osservazioni sullo strato di grasso che permeava la sua cucina. E una lunga e piovosa domenica sera, dopo che erano stati insieme troppo a lungo e il suo odore muschiato le impregnava la pelle in un modo che trovava fastidioso, gli si rivoltò contro gridando che se non fosse andato subito a farsi un bagno non lo avrebbe più nemmeno baciato. Lui diventò molto pallido, le disse di andare all'inferno, e se ne andò dalla sua stanza sbattendosi dietro la porta. Avrebbe potuto essere la fine della loro storia, non fosse stato per il gatto che continuava a fare la spola tra i due, uno seduto di qua, l'altro sdraiato di là, lo sguardo fisso nel vuoto a contemplare una nuova e spaventosa solitudine - un gatto che odorava di acqua di colonia e Gauloises... Alla fine lei non ce la fece più e infilò un bigliettino nel collare del gatto, invitandolo a prendere un tè. Lui si presentò fresco di doccia, con i capelli ancora bagnati, e lei lo pettinò. Poi, temerariamente, si offrì di regolargli la barba. Lui la lasciò fare, e mentre stava lì a sopportare pazientemente le sforbiciate lei sentì di amarlo profondamente.

Ad ogni modo, continuò a rifiutare di andare a letto con lui. Dubitava che lui sarebbe riuscito a tenere la bocca chiusa, se lo avesse fatto. E le Ragazze Che Lo Facevano erano tremendamente chiacchierate al college. E là c'erano almeno altre tre ragazze provenienti dal suo stesso liceo che sarebbero state ben contente di avere qualcosa di piccante da raccontare quando scrivevano a casa...

Lui le rinfacciò che non riusciva più a studiare a forza di pensarci. Lei ribatté che lei ci riusciva benissimo (sebbene a volte in effetti si ritrovasse a essere alquanto distratta da pensieri conturbanti). Lui gridò che gli stava rovinando la salute. Lei replicò che non era il Servizio Sanitario Nazionale, e che poteva andare a cercarsi una crocerossina tra le sue ex.

Lui disse come vuoi e tanti saluti, e se ne andò di nuovo sbattendo la porta. Il silenzio durò una straziante settimana, durante la quale lei si rigirò nel letto torturandosi col pensiero di lui con altre donne. Ma non aveva nessuna intenzione di cedere. Spesso le Ragazze Che Lo Facevano finivano comunque per perdere i loro ragazzi, si facevano venire l'esaurimento e non riuscivano più a combinare niente di buono; magari venivano addirittura espulse. E lei non voleva compromettere i suoi studi e la sua carriera.

Avrebbe potuto finire tutto lì. Ma una sera lui bussò alla sua porta, e sembrava molto vulnerabile e preoccupato. Disse che il gatto era malato. Il giorno prima aveva vomitato tre volte, e adesso non voleva mangiare né bere. Lei si precipitò di sotto. Esse era accovacciato sul letto sfatto, molto abbacchiato e col naso asciutto e ruvido come un pezzo di vecchio cuoio. Aveva la pancia gonfia e dura, e quando lei lo prese in braccio mugolò di dolore. Tutti i loro rancori annegarono nel mare della comune angoscia. Praticarono dei fori per l'aria nella vecchia e malconcia valigia di Bewdley e uscirono insieme nelle fredde strade della città in cerca di un veterinario.

Erano ormai quasi le dieci quando finalmente ne rintracciarono uno, il quale fece un'iniezione a Esse, consegnò loro un pacchetto di pillole e assicurò che il gatto se la sarebbe cavata.

Mentre salivano sull'autobus, con le gambe molli per il sollievo, lui propose: «Ci fermiamo a bere qualcosa al Bun Room?»

Inebriata dallo scampato pericolo, lei disse perché no, sebbene non avesse mai messo piede in quell'esistenzialista tana del vizio in tutta la sua innocente vita universitaria.

La fine della serata fu un vero successo. Il gatto nella valigia fu accolto come una tipica eccentricità di Bewdley. Esse, ripresosi con sorprendente rapidità, si sedette sul pianoforte bagnato di birra mentre qualcuno stava suonando, mangiò un vol-au-vent con rinnovato entusiasmo, e leccò perfino un po' di birra da un boccale semipieno.

Lei fu molto ammirata nei suoi vestiti neri (se li era messi in un attacco di nostalgia per Bewdley). Era piuttosto ovvio, dagli sguardi e dai bisbigli della combriccola di Bewdley, che lui aveva ampiamente discusso con i suoi amici della loro limitata vita sessuale. Di conseguenza, lei era diventata la più desiderabile delle creature, la Ragazza Che Si Negava.

E quando Trillack, cercando scopertamente di attirare l'attenzione, tentò di provare l'inesistenza del Gesù Storico (un espediente del quale gli amici di Bewdley erano ormai totalmente nauseati), lei lo fece a pezzi con citazioni di Josephus, Tacito e Plinio, costringendolo nella ridicola posizione di provarsi invece a dimostrare l'esistenza di Giulio Cesare. E poi demolì i suoi affannosi tentativi usando contro di lui le sue stesse argomentazioni. Fu molto elegante: ne convennero tutti, eccetto Trillack. Esse, dal suo posto sul pianoforte, la guardò con orgoglio.

Ma fu solo quando tornarono a casa a piedi, tenendo la valigia con dentro Esse in mezzo a loro, un manico per uno, che lei si rese conto di che cosa aveva reso la serata così totalmente fantastica.

Bewdley l'aveva riconosciuta ufficialmente

come la sua donna, di fronte a tutto il suo gruppo. Anche se tutti sapevano che lei era una Ragazza Che Non Ci Stava: la prima della sua onorata carriera.

Lei continuò a difendere l'appartenenza alla categoria, anche se spesso finivano una serata mezzi svestiti, lei sul letto, lui accasciato su una sedia, a guardarsi torvi come due tigri in gabbia.

Lei cercò di compensare assumendo un atteggiamento materno. Si offrì di lavargli camicie e calzini. Bewdley impallidì, sentendo il proprio autocontrollo messo a dura prova da un sussulto di indipendenza che, aggiunto all'ira repressa e la frustrazione, rischiava di diventare una miscela esplosiva.

«Ti risparmierebbe di perdere tempo a fare pacchi,» cercò di persuaderlo lei con dolcezza. Sapeva da tempo che, per la disperazione, spediva enormi pacchi mal confezionati di roba da lavare a sua madre, facendosi tutta College Street per portarli all'ufficio postale, carico come un mulo, sperando di non incontrare nessuno dei suoi compagni. Spesso i pacchi si sfasciavano durante il trasporto: aveva perso molti dei suoi amati calzini neri in questo modo.

Con un muto assenso, a testa bassa, lui capitolò, e lei, giubilante, lo accompagnò alla prima lavanderia a gettoni aperta in città e gli mostrò come fare. Poi stettero per tutto il tempo a guardare il carico di roba nera roteare nelle fodere grigie, tenendosi per mano. Quella sera fu talmente sopraffatta dalla tenerezza per lui che quasi Lo Fece. Restarono sdraiati vicini molto a lungo, e Esse andò a piazzarsi sul fianco nudo di lei, come se fosse il signore del castello e approvasse incondizionatamente.

Poi però lei spinse le cose troppo oltre. Una sera, mentre lui era in biblioteca a sgobbare sui libri per il rush finale prima degli esami, lei, in crisi di astinenza sentimentale, si ritrovò a varcare la sua porta socchiusa, senza uno scopo particolare, se non sentirlo vicino.

La stanza era in uno stato peggiore del solito. In un impeto di puro amore, cominciò a lavare tazze e raccogliere maglioni. Poi, lasciandosi trasportare dalla passione, si rimboccò le maniche e prese a pulire la camera da cima a fondo.

Lavorò di gran lena, finché trovò qualcosa di assolutamente imperdonabile sotto il letto. Qualcosa di nero, orlato di pizzo, e decisamente non suo. Rimase a lungo impalata e furente nella stanza ora pulita e ordinata, poi finalmente se ne andò, lasciando l'innominabile proprio in mezzo al letto immacolato, e tornò nella sua stanza, dove pianse silenziosamente fino ad addormentarsi.

A mezzanotte lui bussò furiosamente alla sua porta, e lei fu costretta a lasciarlo entrare, per non svegliare tutto il pensionato. Una volta dentro, le sventolò l'innominabile sotto il naso, dichiarando che lui non c'entrava niente; aveva prestato la sua stanza a Trillack mercoledì scorso, intanto che lui era in biblioteca a studiare, e l'innominabile apparteneva a June Schofield, e la colpa era tutta di Trillack, e avrebbe torto personalmente il collo al piccolo bastardo.

Dovette credergli; ma prima che potesse anche solo cominciare a fargli le sue scuse, lui l'accusò di prendersi troppe libertà, di spersonalizzare la sua stanza e distruggere il suo concetto della propria esistenza; e inoltre non riusciva più a trovare da nessuna parte il suo saggio sull'Edoardo II di Marlowe!

Lei tentò di dirgli che lo aveva fatto solo per amore, ma la voce le uscì come un debole belato, e lui spazzò via i suoi piagnucolii sbraitando che l'amore era una frottola inventata dalle donne per ridurre gli uomini in schiavitù, che lei non poteva opprimerlo a quel modo, e allora lei gli gettò le braccia al collo e...

Finalmente si addormentarono, rosei e innocenti come due angioletti, e Esse si sistemò sopra il mucchio, crogiolando la propria nera entità nelle vibrazioni dei suoi umani felici.

Lei si sentì a disagio e vulnerabile per tutto giugno; tuttavia, per arbitrario capriccio del caso, pareva proprio che fosse un'epoca di finali lieti. Seppe di essere fuori dal pantano il giorno in cui vennero comunicati gli esiti degli esami, e Bewdley apprese di averli superati a pieni voti.

Quel mese lui sembrava avere avvertito il cambiamento nell'aria più ancora di lei. Aveva completamente smesso di bere e di frequentare il Bun Room (ma questo poteva essere stato a causa degli esami). E si era comprato un vestito decente (ma poteva averlo fatto in vista della cerimonia della consegna delle lauree, e perché stava cominciando a fare dei colloqui di lavoro). Vedendolo così sobrio, pulito e ben vestito, lei cominciò a chiedersi se alla fine fosse davvero riuscita ad addomesticare la tigre. Era così sollecito, quasi sentimentale. Passeggiavano mano nella mano sotto gli alberi di Leazes Park, come ogni rispettabile coppia di quasi-fidanzati. Tra gli esami e la pubblicazione dei risultati, la presentò ai suoi genitori, persone ammodo e intelligenti, e loro sembrarono trovarla di loro gradimento, o almeno furono sollevati che non avesse portato a casa qualcosa di infinitamente peggio. Addirittura, accettò di andare a conoscere i genitori di lei, dopo che fossero stati esposti i risultati...

Ma la fatidica sera della pubblicazione dei risultati, incontrarono Trillack, il quale aveva avuto una valutazione mediocre, ma molto generosamente insistette per festeggiare il successo di Bewdley. Come avrebbero potuto dire di no, davanti a tanta altruistica magnanimità?

Non appena ebbero messo piede al Bun Room, lei fiutò il disastro nell'aria. C'era tutta la ghenga, e non l'avevano perdonata per essersi accaparrata il loro Bewdley, e lo rivolevano indietro prima di perderlo del tutto. I discorsi furono particolarmente esagitati e pungenti, e vertevano su ereditarietà e influenza dell'ambiente. Bewdley tornò alla sua vecchia posa di figlio del proletariato, come se suo padre fosse un carbonaio. E adesso lei sapeva che suo padre in realtà era un ingegnere edile ben pagato, e le sue chiacchiere le suonarono quanto mai fasulle. Perché doveva fingersi quello che non era? Che c'era di male a essere figlio di un ingegnere benestante? Che c'era da vergognarsi? Perché si comportava in modo così infantile?

E poi cominciarono a prenderla direttamente di mira, punzecchiandola con domande maligne su equitazione e corse di cavalli, e commenti del tipo che la caccia alla volpe era l'inqualificabile che inseguiva l'immangiabile. Lei non aveva mai avuto la passione della caccia, anche se amava i cavalli, ma quell'attacco ingiustificato all'ambiente dal quale proveniva la fece avvampare tutta di collera.

Poi Jack Nida parlò dal suo angolo, cercando di ristabilire la pace. Nida le era sempre piaciuto; era il più intelligente del gruppo, un fisicista, un ebreo dalla faccia gentile. L'unico tra tutti ad avere un po' di creanza, di sensibilità. E una spiccata balbuzie...

«P-potete entrambi superare l'influenza d-dell'ambiente in cui siete nati e cresciuti con la volontà e la logica,» osservò. «Io s-sono di fede giudaica p-p-per nascita, ma adesso sono ateo. Mi sono liberato dei miei retaggi...»

«Col cavolo,» lo interruppe sardonicamente Bewdley. E all'improvviso fu di nuovo il vecchio Bewdley a parlare, il mostro nero che lei aveva creduto se ne fosse andato per sempre.

«Ti do la mia parola. Sono ateo. Credo che la creazione del mondo sia stata un càso fortuito.» Nida si mise la mano sulla camicia rossa con un tremito di gentile fervore. «Lo giuro.»

«Pisceresti contro il muro di una sinagoga?» domandò Trillack, e gli altri sghignazzarono malignamente.

«Amico mio, io non piscerei contro il muro di una sinagoga, né di una chiesa, né di una moschea. Sono una persona civile. Perché dovrei offendere gli altri, per quanto possano essere errate le loro convinzioni?»

Questo li mise a tacere: la sua posizione era di una correttezza inattaccabile. Lei fu colta da un subitaneo amore per Nida; le venne voglia di stringerlo fra le braccia. Come sarebbe stato dolce! Che padre meraviglioso avrebbe potuto diventare...

Poteva darsi che Bewdley avesse colto il suo sguardo traditore, e che fosse stato quello a farglielo fare.

«Un attimo solo,» disse. Si alzò e andò al bancone del bar, dall'altra parte del locale. Comprò qualcosa su un piatto. Quando tornò indietro, lei vide che era la solita sfoglia ripiena di carne, e rimase alquanto perplessa. L'innocuità dell'azione di Bewdley non si intonava all'espressione diabolica sul suo volto.

Bewdley mise il piatto davanti a Nida. Nida alzò gli occhi a guardarlo con interrogativa gentilezza.

«Se non sei un giudeo, mangia,» lo invitò Bewdley. Poi aggiunse con perfidia: «È maiale.»

Lei non avrebbe mai dimenticato l'espressione sulla faccia di Nida. O il modo in cui attraversò il locale, prese un coltello, tagliò a pezzetti la sfoglia ripiena di carne di maiale e cominciò a mangiarla con la delicatezza di un gatto. O il silenzioso pallore in cui rimase seduto a fatto compiuto.

O il modo in cui all'improvviso si portò una mano alla bocca, si alzò e corse verso l'uscita del locale. O come, incapace di trattenersi oltre, vomitò sulla soglia. O il fragoroso scoppio di risa trionfali della ghenga.

Doveva fare qualcosa per rimediare. Corse su per le scale e fuori del locale, ma Nida era sparito. Continuò a camminare.

Bewdley tornò a casa mezz'ora dopo di lei. Bussò alla sua porta e chiese molto quietamente il permesso di entrare. Era nervoso, ed evitò il suo sguardo mentre lei stava seduta tranquillamente ad accarezzare Esse, accoccolato sulle sue gambe.

«Senti,» si decise a dire alla fine, ancora senza guardarla, «era soltanto uno scherzo...»

«Non per Nida.»

La voce di Bewdley si alzò in un falsetto per nulla attraente. «Senti, se l'era cercata. Faceva così il superiore...»

«Era tuo amico. Lui non ti avrebbe mai fatto una cosa del genere. Lo hai umiliato davanti a tutti...»

«Ma era la verità! Stava raccontando balle, e io gliel'ho dimostrato. Siamo arrivati alla verità!»

«Quindi la verità conta più dell'amicizia?»

«Sì!» gridò lui. «Certo!»

«Addio, Bewdley,» disse lei, pacata, ma con assoluta convinzione.

«Ma perché?» Sapeva che stava dicendo sul serio, e la sua voce si fece ancora più stridula per il panico.

«Perché un giorno potresti preferire la verità a me. In pubblico.»

«Non è così!»

«Sì, invece.» La sua voce era così ferrea che il gatto si agitò inquieto sulle sue ginocchia.

Con quelle due parole lo aveva finito. Tutto ciò che gli venne in mente di dire fu: «E Esse?»

«Lo porterò a casa con me, alla fine del trimestre. Altrimenti, potresti preferire la verità a lui, un giorno.»

E questa fu la fine della loro storia.

Lei comprò un cestino apposta per portare Esse a casa con sé. Lo ha ancora adesso, anche se ormai è vecchio e non esce più molto. E ancora adesso, quando Bewdley appare al South Bank Show, intento a demolire qualche nuova iniziativa artistica, lei rivolge a Esse un sorriso d'intesa.

Come a dire: "l'abbiamo scampata bella."

East Doddingham Dinah

East Doddingham Dinah non era mai stata un fantasma; almeno fino alla fine...

Era una gatta in carne e ossa; eppure vicina a un fantasma quanto può esserlo un gatto vivo. Pelo lungo e bianco e pallidi occhi celesti. Quando si lasciava prendere in braccio (il che non accadeva spesso) ci si rendeva conto che era per metà pelliccia. Solo in profondità dentro quel sontuoso manto si sentivano ossa sottili e muscoli più gracili ancora, esili come fil di ferro. Era leggera come una piuma. Tutta anima: un'anima affettuosa che guardava fuori attraverso occhi enormi, scuri e imperscrutabili, inseriti in una testa che era come un delicato teschio bianco. Non avevo mai visto un gatto che sapesse saltare come lei; poteva quasi volare, come i fragili e sottili aeroplani che lei amava tanto.

Perché East Doddingham? East Doddingham era un campo dell'aviazione britannica durante la Seconda Guerra Mondiale, sperduto nelle amorfe pianure incolte del Lincolnshire. La sera in cui

Dinah arrivò, la base era ammantata da una coltre di neve e nebbia fitta, quindi non c'è da stupirsi che il personale di terra non l'avesse vista.

Era in cerca di un po' di calore, come noi tutti. Ma non si diresse verso le stufe accese delle baracche Nissen, o le grasse delizie della cucina, come avrebbe fatto un gatto qualunque. Doveva essersi arrampicata su per la scaletta nel B-Baker mentre era fermo sulla sua piazzola di sosta.

Doveva essersi messa comoda nel posto migliore, la zona riposo a metà della coda, verso la torretta posteriore. Zona riposo, la chiamavano. C'era da ridere. Chi avrebbe potuto riposare durante una missione di bombardamento? C'era un letto, è vero, ma era dove sistemavamo i feriti gravi e i morti; le invitanti coperte rosse non facevano vedere il sangue.

Ad ogni modo, le pile di coperte ben piegate fecero un buon servizio a Dinah: doveva essersi infilata in mezzo, e nessuno si accorse di lei fin dopo il decollo.

Se avessimo obbedito agli ordini, ben presto sarebbe morta. In teoria avremmo dovuto volare a ventiseimila piedi, dove i caccia notturni dei Jerry, come noi chiamavano i tedeschi, non potevano raggiungerci tanto facilmente. A ventiseimila piedi l'aria è così rarefatta che i suoi polmoni sarebbero scoppiati. Ma io mi attenevo al vangelo secondo Mickey Martin. Settemila piedi, dove l'artiglieria antiaerea leggera era fuori portata, e quella pesante non faceva in tempo a ridurti un cola-brodo. Avevo seguito il vangelo secondo Mickey Martin per un anno; lui era ancora vivo, e io pure.

Ma fa pur sempre un freddo tremendo a quota settemila, e dovette essere stato il freddo a sta-narla. Andò a cercare l'umano più vicino che le riuscì di fiutare, che era Luke Goodman, il nostro mitragliere di coda. Luke aveva lasciato socchiu-se le sue paratie blindate, e lei entrò e gli saltò in grembo come se fosse stato seduto in poltrona accanto al camino di casa sua. Come avrà fatto a sapere che, fra tutti noi, Luke era quello che stra-vedeva per i gatti?

Comunque, Luke aveva molto da offrirle, oltre al suo grembo. Aveva spinto la bocchetta del tubo dell'aria calda in uno dei suoi stivaletti da aviatore, in modo che l'aria risalisse tra le sue gambe. Così, Dinah ne riceveva appieno il beneficio. E natural-mente, lui stava mangiucchiando nervosamente la sua considerevole scorta di sandwich alla carne... In cambio, lei gli strofinava la testa bianca contro la faccia, e lo teneva bene isolato dove più conta-va. I due dovevano essere in Paradiso. Finché Luke ebbe il suo primo problema.

Ormai stavamo sorvolando il Mare del Nord. Era ora di provare le mitragliatrici. Aveva riman-dato il momento più a lungo possibile, temendo che il frastuono l'avrebbe spaventata. Ma alla fine, quella coppia di Browning era tutto quello che si frapponeva tra un caccia che ti si accodava e una brutta fine spappolato per tutto l'interno della tua torretta. Così sparò.

Dinah nemmeno trasalì; si limitò a rizzare la testa per guardare con interesse le linee rosse dei proiettili traccianti allontanarsi all'indietro. Fu allora che Luke capì che era sorda come una campana: niente di insolito per un gatto bianco con gli occhi azzurri. Era ovvio: altrimenti come avrebbe potuto sopportare il continuo, assordante rombo dei motori senza diventare matta?

Intanto, ignaro di tutto questo, mi abbassai verso la costa nemica. Scelsi l'isola di Texel, e mi diressi sullo Zuyder Zee. Non molta contraerea da quelle parti, eccetto qualche inutile nave. Ma i crucchi fecero dei discreti fuochi d'artificio mentre passavamo tra Arnhem e Nijmegen. Più tardi, Luke mi disse che Dinah era affascinata: girava la testa di qua e di là, seguendo ogni lampo e scia di tracciante. Non tremava, ma piuttosto fremeva di eccitazione, e di tanto in tanto allungava una zampa come per catturare le palle rosse e gialle che solcavano lente il cielo.

Francamente, quando me lo raccontò mi vennero i sudori freddi. Se era così occupato a giocare con quel dannato gatto, come poteva essere concentrato su quello che succedeva intorno a noi per avvistare in tempo eventuali caccia notturni? D'altra parte, Dinah almeno lo aveva tenuto sveglio. Infatti, il vero pericolo non era la contraerea, a quella quota, ma gli intermezzi di quiete, quando ti sembra di volare da solo in un cielo deserto inargentato dalla luna, e la guerra potrebbe anche essere su un altro pianeta. Era allora che i mitraglieri di coda si assopivano, intontiti dal freddo, dalla solitudine, dalla noia, e dal contraccolpo del terrore. Come capitano, dovevo continuamente stuzzicarli all'interfono, assillandoli come una mamma apprensiva, domandando se gli colava il naso o avevano i piedi freddi. Tutto andava bene, pur di tenerli svegli. Perché era nella placida tranquillità del chiaro di luna che arrivavano i caccia notturni. Ti si insinuavano sotto di soppiatto finché erano ad appena quindici metri e non c'era nessuna possibilità che ti mancassero con i loro cannoncini fissi puntati in su.

Comunque, Luke mi assicurò che era sveglissimo, nella parentesi di tranquillità prima che raggiungessimo la Ruhr, o la Valle Felice, come la chiamavamo noi. E lo era anche Dinah, che gli stava in braccio ronfando come un motorino. Non poteva udire il suono delle fusa, naturalmente, ma sentiva le vibrazioni della sua gola contro il ginocchio.

Poi all'improvviso lei sembrò vedere qualcosa che a lui sfuggiva. Si irrigidì, girando di scatto la testa da una parte e dall'altra, come cercando una visuale migliore, poi diede una zampata fulminea contro il perspex del finestrino della torretta.

Luke aguzzò gli occhi per capire con che cosa ce l'avesse, ma non riusciva a vedere un accidente.

Dinah si irrigidì di nuovo, e la sua zampa scattò

di nuovo. Luke cominciò a domandarsi se non si trattava di uno di quei minuscoli moscerini ai quali i gatti danno la caccia quando tu credi che stiano giocando da soli.

Poi Dinah tirò un'altra zampata al finestrino, sempre nello stesso punto, e stavolta vide anche lui. Un puntolino sul perspex, ancora più piccolo di un moscerino. Una forma grigia contro le nuvole sottostanti che poteva essere soltanto un aereo tedesco. Fuori portata, ma speranzoso di sgusciarci inosservato sotto la pancia. Luke per primo ammise che, non fosse stato per Dinah, non lo avrebbe mai individuato. Ma adesso che lo aveva visto, era in vantaggio. Si sentiva come Dio, con Dinah sulle sue ginocchia. Invincibile.

Così non mi avvertì, come avrebbe dovuto fare. Girò la sua torretta molto lentamente, in modo che il nemico non si accorgesse di essere stato scoperto. Inquadrò il caccia nel mirino e lo guardò farsi poco a poco più grande.

Luke disse che il Jerry che ci seguiva era uno dei migliori, un vero artista. Approfittava di ogni brandello di nuvola per spingersi un po' più su, un po' più vicino. Presto Luke poté vedere che era un ME 110, con più antenne radar che gli spuntavano dal muso di quanti baffi dal muso di un gatto. Nessuna mitragliatrice anteriore di cui preoccuparsi, allora: solo, posizionati dietro l'abitacolo, i cannoncini fissi puntati verso l'alto che Jerry non avrebbe potuto usare finché non si fosse trovato direttamente sotto il nostro ventre.

Luke attese; attese finché poté distinguere le chiazze nere sulle sue ali grigie; attese finché poté quasi leggere il suo numero di serie, finché poté vedere la faccia bianca del pilota rivolta in su. Poi sparò una raffica di cinque secondi, dritta nell'abitacolo. Raccontò che la carlinga esplose in una pioggia di schegge argentee, ma l'aereo continuò a volare stabile sulla sua rotta sotto di noi. Forse il pilota era già morto. Ad ogni buon conto, lui sparò un'altra raffica di cinque secondi nel motore destro, e il fuoco si espanse...

Per poco non mi venne un attacco di cuore. Luke gridava: «L'ho preso, capitano, l'ho preso!» E all'improvviso il caccia tedesco apparve proprio sotto il mio naso, così che dovetti fare una brusca impennata e contemporaneamente virare per non saltare in aria con lui quando fosse esploso.

Posso assicurarvelo, il bombardamento su Düsseldorf non fu che banale routine dopo quello che era successo. E il volo di ritorno fu una festa. Perché non capita spesso che un nostro mitragliere di coda tiri giù un caccia notturno. Voglio dire, immaginate di stare di notte sulla banchina di una stazione ferroviaria, mentre dei ragazzi vi tirano addosso petardi, e arriva un treno a cento miglia all'ora e voi dovete colpire l'uomo grasso seduto nel terzo scompartimento della quarta carrozza, con la vostra pistola ad aria compressa... essere un mitragliere di coda è una cosa del genere.

Avevamo abbattuto un Jerry una sola volta prima di allora; all'inizio del 1940, nell'inferno sopra Berlino, un attonito mitragliere vide dalla sua postazione alla torretta dorsale di un Wimpey un Messerschmidt 109 passare proprio davanti alla sua mitraglia a meno di cento metri, senza radar, povero diavolo, del tutto inconsapevole di avere appena superato un bombardiere inglese. Il mitragliere era così stupefatto che quasi sbagliò il colpo. Ma solo quasi. Il Jerry precipitò senza nemmeno sapere che cosa lo aveva colpito. E quella fu l'unica altra volta che ne avevamo preso uno.

Il mio equipaggio era comprensibilmente esaltato. Pensavano che noi fossimo i migliori, che fossimo imbattibili. Sudai freddo per tutto il volo di ritorno, cercando di persuaderli dell'opportunità di continuare a tenere gli occhi aperti.

Soltanto dopo che avemmo superato la costa olandese Luke annunciò di avere un gatto sulle ginocchia.

«Poveraccio,» commentò all'interfono Hoppy, il nostro marconista. «La gloria gli ha dato alla testa.» Hoppy aveva fatto un anno a Oxford prima di offrirsi volontario come bersaglio per il tiro a segno a ventiseimila piedi di quota sopra la Ruhr. Sperava di completare gli studi al suo ritorno a casa, laureandosi in letteratura inglese. Avrebbe anche potuto farcela, se avesse trovato il modo di scrivere col poco che rimase delle sue mani dopo la guerra...

Seguirono molte altre battute di spirito, miagolii beffardi e prese in giro varie. Ma Luke insisteva
a dire di avere un gatto bianco accoccolato sulle
sue ginocchia. E a settemila piedi, era impossibile
che fosse rimbecillito per carenza di ossigeno.
Così dissi a Mike, il meccanico di bordo, di andare a dare un'occhiata. Qualunque cosa andasse
storta, mandavo sempre il meccanico di bordo a
controllare; se era ancora vivo.

Mike si affacciò alla paratia blindata della postazione di Luke.

«C'è davvero, il gatto,» riferì.

«E che ci fa lì?»

«Mangia sandwich...»

Mai visto un gatto senza fondo come lei. Dopo
aver dato fondo alle scorte di Mike, lasciò la postazione e andò a scroccare da mangiare a Hoppy e
Bob, il navigatore, che sedevano insieme a metà
aereo. E quando ebbe finito anche con loro, attraversò con molta flemma il fetido interno dell'aereo, puzzolente di sudore, vomito e altro, e si
sedette sulle mie ginocchia a lavarsi coscienzio-
samente, mentre il sole sorgeva alle nostre spalle,
e sulla costa piatta del Lincolnshire la grande
torre di Wainfleet All Saints emergeva dalla nebbia mattutina, rosea nella luce dell'alba, come il
Regno dei Cieli.

Dinah rimase aggrappata al collo di Luke per
tutto il debriefing, le unghie affondate nel suo vec-

chio giubbotto di pelle. Eravamo stati gli ultimi a rientrare, e come al solito gli altri equipaggi gironzolavano intorno all'ufficio dopo aver fatto il loro rapporto, sorseggiando la colazione, che avrebbe dovuto essere caffè ma generalmente era qualcosa di più forte. Tutti ci si fecero intorno, ascoltando a bocca aperta la nostra relazione. L'ufficiale del Servizio Informazioni della WAAF, il Corpo Femminile Ausiliario dell'Aeronautica, proprio non sapeva che cosa scrivere. Sospettava che Luke la stesse prendendo in giro a proposito di Dinah e del ME 110. Così chiamò il suo superiore, e lui chiamò il nostro Capo: per voi, il tenente colonnello Leonard Roy.

Il capogruppo della nostra squadriglia era un uomo grigio come un topo e troppo grasso per entrare in un Wimpey, ma tutt'altro che stupido. Sapeva bene che il regolamento della Regia Aeronautica non prevedeva che dei gatti abbattessero degli ME 110. Ma tenne conto anche delle facce sorridenti che lo circondavano. Non si vedeva spesso qualcuno sorridere a East Doddingham, quell'inverno. Avevamo perso molti aerei; eravamo perennemente gelati, giorno e notte, a terra e in aria; i pub della zona erano delle ignobili bettole, e le femmine locali più attraenti erano di razza equina. Ma soprattutto, noi eravamo gli uomini dimenticati.

Vedete, i Wimpey, come noi chiamavamo confidenzialmente i bombardieri Wellington che avevamo in dotazione, erano buoni vecchi macinini che avevano senz'altro fatto il loro servizio in aria, ma per l'appunto erano vecchi, e lenti. Grazie a Dio, non lenti quanto gli Stirling, che in aria erano goffi e pesanti come vacche gravide, e costituivano il cibo preferito dei Jerry. Tutti si rallegravano quando si veniva a sapere che gli Stirling avrebbero preso parte a una missione, perché questo dava a noialtri maggiori probabilità di riportare a casa la pelle. Ma un Wimpey poteva portare solo un piccolo carico di bombe. Un Lancaster poteva portarne come cinque Wimpey. Perché mettere a repentaglio la vita di trenta disgraziati sui Wimpey, quando ne bastavano sette su un Lancaster per ottenere lo stesso risultato (o fallimento)?

Ma il grande pubblico britannico doveva avere i suoi raid di mille bombardieri sulla Valle Felice, così noi venivamo mandati a fare numero.

Comunque, il Capo gira uno sguardo sulle facce sorridenti e fa: «Mettete il gatto sul ruolino del personale. Presterà servizio a bordo e avrà le sue razioni di cibo. Questi dannati Wimpey sono sempre pieni di topi...»

Questo suscitò una risata. Tutti sapevano che nessun topo che tenesse alla propria vita si sarebbe mai avvicinato a un Wimpey per tutte le briciole di sandwich alla carne in scatola del mondo.

Dinah dormiva con Luke, e mangiava con Luke. In mensa, però, saltava da un tavolo all'altro, rimediando bocconcini di bacon e facendosi viziare da fare schifo. Perché ogni altro equipaggio la voleva, specialmente dopo che aveva aiutato Luke a tirare giù il suo secondo Jerry. Vedete, noi avieri eravamo notoriamente superstiziosi, e patiti dei portafortuna. Il nostro precedente comandante non volava mai senza il suo vecchio ombrello infilato dietro il sedile. Ci scherzava su, dicendo che avrebbe sempre potuto usare quello se il suo paracadute non avesse funzionato. Ma la notte che il suo equipaggio di terra lo smarrì, appena prima di un raid, diventò bianco come un lenzuolo, e vomitò lì sulla pista. Andò lo stesso in missione, ma non tornò indietro. Lo vidi saltare in aria, colpito in pieno dalla contraerea sopra la stazione di smistamento di Hamm. Nessuno del suo equipaggio si salvò.

Tutti avevamo qualcosa. Hoppy aveva una zampa di coniglio. Mike un malridotto pupazzetto africano. E Bob teneva in tasca un coltellino a serramanico, tutto scrostato a forza di rigirarselo nella mano durante le missioni.

Ma ogni espediente per soffiare Dinah a Luke fallì. Perfino il tentativo di rapimento messo in opera dall'equipaggio del G-George. Dinah era sparita, e Luke l'aveva cercata tutto il giorno. Quella notte dovemmo praticamente trascinarlo a forza all'aereo, perché era sicuro che, senza di lei, saremmo andati al macello. Poi, mentre stavamo aspettando il nostro turno per il decollo, vedemmo il G-George rullare sulla pista, cercando di saltare la coda. Fu proprio la fretta a tradirli. I Wimpey avevano dei piccoli finestrini triangolari di celluloide lungo i fianchi, e mentre ci superavano vedemmo chiaramente nella luce della luna il musetto bianco di Dinah dietro uno di essi. Anche lei ci vide, e le sue zampe bianche grattarono freneticamente sulla celluloide fino a rompere il finestrino. Saltò fuori e corse verso di noi come il vincitore del Derby. Luke, avvertito all'interfono, ruotò bruscamente a sinistra la sua torretta, esponendo le paratie blindate dietro di lui. Aprì il portello per lasciarla saltare dentro, poi lo richiuse e raddrizzò la torretta. Così partimmo per Essen con l'equipaggio al completo.

Quella notte Dinah segnò al suo attivo il terzo Jerry. A quel punto, il Ministero dell'informazione fece venire la stampa, e sui giornali apparvero fotografie di Dinah avvinghiata a Luke, e titoli come DINAH DI EAST DODDINGHAM, LA CACCIATRICE DI UNNI. Era nata la leggenda di East Doddingham Dinah.

Dal clamore che le facevano attorno, si sarebbe detto che lei e Luke avessero abbattuto metà delle forze aeree tedesche. In realtà ne tirarono giù solo quattro, in tutto. Ma suppongo che farne un mito giovasse al Fronte Nazionale e allo Sforzo Bellico. Finché qualche matto cominciò a scrivere ai giornali suggerendo che tutti i mitraglieri di coda avessero con sé un gatto. Allora il Ministero dell'aviazione pose fine a ogni sensazionalismo e sgonfiò l'intera faccenda.

Ma Dinah era davvero un gatto portentoso, e non solo perché aiutava Luke ad abbattere i caccia nemici. Lei presentiva le cose. Come la notte che salì a bordo, e subito dopo volle scendere. Io stavo già per partire quando lei andò al portello e prese a raspare insistentemente, emettendo piccoli miagolii soffocati dal rombo dei motori, pregando che la lasciassimo uscire.

Dio, l'equipaggio sembrava impazzito. Dovevamo lasciarla andare oppure no? Ognuno diceva la sua all'interfono, e la discussione si fece così accesa che se ne accorsero perfino alla torre di controllo.

Sapevamo tutti che cosa significava. Lei era la nostra fortuna. Se ci avesse abbandonati, eravamo carne da macello. Era matematico.

Fu Luke a troncare la disputa, prendendo una sofferta decisione. Sentii la sua voce incrinata dal nervosismo all'interfono: «È sempre venuta con noi spontaneamente, e adesso non la costringerò a venire contro la sua volontà.»

Nessuno lo fermò quando tolse i fermi al portello. Dinah saltò giù e schizzò via verso il confortevole tepore della baracca dell'equipaggio di terra.

Decollammo in un silenzio da funerale; arrivammo a settemila piedi ancora in un silenzio di tomba. E poi Mike, il meccanico di bordo, lanciò un'occhiata oltre la mia spalla al quadro dei comandi e, con voce da funerale, disse: «Il motore di babordo non va bene, capitano.»

In effetti, stava facendo un po' di capricci. La temperatura era un filino troppo elevata. E perdeva qualche giro, e poi lo recuperava con gli interessi, senza che nessuno di noi toccasse le manopole. Ma il nostro B-Baker era vecchio, come ho già detto. E quello era il tipo di malfunzionamento che di solito andava a posto da solo, dopo aver volato un po'. Avevamo fatto Berlino e ritorno in condizioni ben peggiori. E neanche a farlo apposta, immancabilmente ogni difetto scompariva non appena giravi per rientrare alla base; e allora ti ritrovavi messo alla gogna, e venivi convocato dal Capo per un colloquio molto sgradevole. Si metteva sempre male, se cominciavi a perdere il controllo dei nervi. Ti avviavi giù per una china sdrucciolevole, e finivi rannicchiato sotto le coperte della tua branda a farfugliare parole sconnesse, finché non venivano a prenderti e ti retrocedevano al rango di AC2, mettendoti a pulire le latrine della base. Mancanza di fibra morale, ti accusavano davanti alla corte marziale.

«Lascia perdere,» ringhiai a Mike.

Proseguimmo. Superammo la costa dell'Inghilterra. Mike non disse più niente, ma sapevo che continuava a fissare il quadrante oltre la mia spalla. Gli altri erano ancora chiusi nel loro silenzio di tomba. Poi sentii la voce di Luke all'interfono: «Le altre volte veniva sempre così volentieri, capitano...»

E poi Hoppy: «Abbiamo portato a termine quarantadue missioni senza mai fiatare. Una ce la devono...»

Invertii la rotta. Immediatamente, il dannato motore di sinistra smise di fare i capricci, e funzionò preciso come un orologio fino alla base.

Il mattino dopo ero nell'ufficio del Capo, rassegnato a uscirne con un grado in meno, quando sentimmo il botto attraverso le solide pareti di mattoni. Ci precipitammo tutti quanti fuori, ma il povero B-Baker, sulla sua piazzola di sosta, era già un rottame.

Il sergente a capo del mio equipaggio di terra stava provando il motore di sinistra del suo tesoruccio per dimostrarne l'innocenza, quando una pala si era staccata dall'albero portaelica. Con la velocità che aveva acquisito, era passata dritta attraverso la cabina, portandogli via una fetta di sedere, ed era uscita dall'altra parte, andando a conficcarsi nel serbatoio dell'ala destra, il quale aveva prontamente preso fuoco. Il sergente ne venne fuori con una bella ustione, e una natica e mezzo. Gli era ancora andata bene. E lui era a terra, quando è successo. Noi, in volo, non avremmo avuto nessuna speranza.

Come avesse fatto Dinah a saperlo andava al di là della nostra comprensione. Gli intelligentoni di turno avanzarono le loro teorie, ad esempio che

salendo sull'aereo doveva aver percepito le vibrazioni differenti dell'elica difettosa attraverso i
cuscinetti delle zampe.

Ma secondo noi, lei lo sapeva e basta.

Era stata una precognizione, così come nel
caso di O-Oboe.

Dinah gironzolava sempre intorno agli aerei
fermi sulle loro piazzole di sosta. Non so se l'ho
già detto, ma faceva dei salti prodigiosi: sembrava
quasi che sapesse volare. Per lei, un salto di due
metri sulla radice di un'ala non era niente. Faceva
qualche moina ai meccanici mentre controllava-
no i motori, e non diceva mai di no a uno spunti-
no (era un mistero dove mettesse tutto quello che
riusciva a mangiare, perché non accennava a
ingrassare). Poi andava a farsi una corsetta sulla
fusoliera, o si crogiolava in un occasionale spira-
glio del debole sole di febbraio, lavandosi pigramente sul tetto dell'abitacolo. Questo lo faceva
con qualunque aereo, non solo il nostro nuovo B-
Baker. Gli altri equipaggi della squadriglia ne
erano contenti: ritenevano che così facendo spar-
gesse un po' attorno la fortuna che portava. In
effetti, nei suoi primi due mesi con la squadriglia,
non avevamo registrato alcuna perdita anche se,
va detto, in quel periodo la neve e la nebbia avevano ridotto di parecchio le nostre missioni di
bombardamento.

Ma con O-Oboe fu differente. A parte noi, l'equipaggio di Pip Percival era quello a cui Dinah era più affezionata. O-Oboe sostava nella piazzola accanto alla nostra, e Dinah gli stava sempre intorno.

Un mattino, dopo colazione, il sergente dell'equipaggio di terra di O-Oboe venne a cercarmi in ufficio, visibilmente scosso. «Ho paura che Dinah non stia bene, signore. Sta seduta su O-Oboe, e non vuole venire giù, nemmeno a farle vedere del bacon.»

Chiamai Luke e saltammo sulla mia jeep per andare a vedere. Eravamo ancora lontani da O-Oboe quando Luke fischiò fra i denti e esclamò: «Cristo... guarda là!»

Si riferiva a O-Oboe. Nella nebbia, sembrava un fantasma. Sembrava... freddo. Dava l'impressione che le sue ruote non fossero realmente appoggiate a terra. E appariva inconsistente, come se vi si potesse passare attraverso.

Probabilmente penserete che sto dicendo delle sciocchezze, che qualunque aereo farebbe lo stesso effetto, in un mattino nebbioso. Ma il nostro nuovo B-Baker, di fianco a O-Oboe, appariva altrettanto indistinto e sfocato, però solido. Io e Luke sapevamo entrambi che cosa significava quell'aspetto spettrale. O-Oboe sarebbe andato al macello, nella sua prossima missione. Noi tutti eravamo molto sensibili a simili segni premonitori. Come ho già detto, noi avieri eravamo gente superstiziosa. C'erano brande che avevano fama di portare male, e chiunque si azzardava a dormirvi andava dritto al macello. C'erano baracche che portavano iella, e interi equipaggi che osavano alloggiarvi lo stesso andavano dritti al macello. Dopo un po', nessuno voleva più saperne di dormire in quelle particolari brande. Dopo un po', un saggio comandante destinava quelle baracche a uso di magazzino. A un certo punto c'era stata anche un'ausiliaria molto bella, che però portava sfortuna. Tutti quelli che le giravano intorno andavano al macello. Ben presto non le si avvicinava più nessuno. Alla fine si fece mettere incinta da un fattore della zona. Lui la sposò, e la storia ebbe un epilogo più lieto di molte altre...

Comunque, sapevamo che la sorte di O-Oboe era segnata. E Dinah stava lì, seduta sul tetto del suo abitacolo. Non a lavarsi, come faceva di solito, ma ingobbita, gli occhi chiusi, le orecchie basse, la fronte corrucciata. La chiamammo; nemmeno si mosse. Doveva essere lì da ore: aveva il pelo imperlato di rugiada.

Luke si arrampicò sulla fusoliera scivolosa e la prese. Non lo avrebbe fatto per nient'altro al mondo che Dinah. Nessuno vuole nemmeno toccare un aereo destinato al macello.

Dinah stava tremando. La portammo in ufficio e la mettemmo a scaldarsi davanti alla stufa. Controllammo che tutte le sue zampe funzionassero bene e che non fosse ferita. Le scaldammo la sua razione di latte, e lei la bevve. Il suo naso era freddo e umido. Sembrava tutto a posto, così la lasciammo uscire.

Be', lei tornò dritta su O-Oboe, mettendosi a sedere esattamente nello stesso posto di prima.

Luke andò a riprenderla altre quattro volte, e ogni volta lei ritornava lì. Alla fine, Luke disse: «Dinah non è malata. È... è in lutto. Per O-Oboe.»

Dopo, la tenemmo rinchiusa in un armadietto, con una coperta, fino all'ora del decollo. Ma era troppo tardi. La voce si era già sparsa in giro. Nessuno guardò l'equipaggio di O-Oboe durante la riunione per ricevere le nostre istruzioni. In mensa, mentre consumavamo la nostra colazione notturna prima di partire per le rispettive missioni, gli si fece il vuoto intorno. Non avrebbero potuto non capire.

Non tornarono indietro. Gli equipaggi che sapevano di andare al macello non tornavano mai.

Da quel giorno, gli equipaggi se la presero con Dinah. Quando appariva intorno ai loro aerei mentre li stavano mettendo a punto la scacciavano in malo modo. Lei non capiva, e continuava a tornare indietro. Cominciarono a tirarle dietro di tutto. Da regina dell'aviazione, era diventata l'angelo della morte. Ci rendemmo conto che le cose si stavano mettendo male quando ce la vedemmo arrivare in ufficio zoppicante, con un orecchio lacero e il pelo imbrattato di olio da motore usato. Luke passò un'intera giornata a ripulirla. Non osammo più lasciarla uscire dal nostro ufficio finché arrivava l'ora di partire per una missione.

Poi il nuovo comandante della base mi disse che dovevamo disfarcene. Le nostre perdite stavano tornando a farsi consistenti, perché il tempo era migliorato e di conseguenza era aumentato il numero delle missioni. Ma tutti davano la colpa a Dinah: dicevano che si era rivoltata contro di loro, e adesso portava sfortuna. Qualche bastardo tentò addirittura di investirla con una jeep una notte, mentre stava correndo sulla pista seguendoci verso il B-Baker.

Luke la portò a vivere da sua zia a Doncaster; li accompagnai io stesso con la jeep. Uscimmo di casa alla chetichella, lasciandola a dormire vicino a un bel fuoco scoppiettante, con una ciotola di latte vicino al muso. Eravamo tristi, ma lì sarebbe stata al sicuro, e senz'altro aveva già fatto abbastanza per lo Sforzo Bellico.

Mezz'ora dopo che ce ne fummo andati, Dinah scappò dalla finestra aperta del bagno. Due notti dopo si presentò alla nostra piazzola giusto in tempo per il decollo. Aveva attraversato quaranta miglia di campagna sconosciuta in due giorni, ed era arrivata puntuale per la missione.

Sarebbe stata la sua ultima operazione. La cosa strana è che salì a bordo calma come non mai...

Un nuovo obiettivo. I recinti degli U-boat a L'Orient, sulla costa francese. Avrebbe dovuto essere semplice: sempre sul mare, dopo esserci spinti fino a Land's End, sull'estremità della Cornovaglia, per confondere i radar tedeschi. Poi giù fino alla punta più a nord del Golfo di Biscaglia, e da lì su L'Orient, a quota zero sul livello del mare.

I crucchi ci attendevano sul golfo con i loro Junker 88. Per cambiare, cercarono di sorprenderci dall'alto. Uno c'era quasi riuscito, e Luke non se ne sarebbe mai accorto, se Dinah non avesse spiccato un salto assolutamente incredibile dalle sue ginocchia fino a toccare la sommità della torretta. Ma una volta che lo ebbe individuato, non perse la sua occasione. Il bastardo batté in ritirata con un motore fuori uso, e l'altro fumante per la perdita di antigelo; dubito che sia riuscito a rientrare alla base.

Fu il quarto e ultimo aereo nemico abbattuto di Dinah. La contraerea era un inferno sopra L'Orient; ci stavano aspettando. Trenta secondi prima di sganciare le bombe fummo centrati in pieno da un proiettile di cannone da 35 millimetri. Bob restò seriamente ferito; Hoppy solo lievemente, ma la sua apparecchiatura radio prese fuoco. Non seppi mai dove fossero andate a finire le nostre bombe; probabilmente su un'innocua trattoria. Ma con un fuoco a bordo, mi bastava sapere di non averle più nella stiva. Proseguimmo in derapata verso l'interno della Francia, mentre io gridavo: «Presto, dobbiamo lanciarci!» e cercavo di guadagnare abbastanza quota perché i nostri paracadute potessero aprirsi, prima che l'aereo esplodesse o si spaccasse in due.

Più di ogni altra cosa, gli equipaggi aerei sono terrorizzati dal fuoco. Voglio dire, un conto è morire, e un altro è bruciare lentamente...

Così va tanto più a loro merito che Hoppy e Bob siano rimasti a combattere l'incendio, alimentato da un vento furibondo che entrava attraverso i buchi di proiettile. Hoppy tentò di strappare via l'apparecchiatura radio e buttarla fuori dal finestrino, con le mani protette solo dai guanti. È stato così che se l'è ridotte a due moncherini. Alla fine, l'impianto fuse la sua montatura e si aprì un varco attraverso il fianco dell'aereo, lasciandoci a fronteggiare soltanto un uragano che imperversava nella fusoliera, e due uomini gravemente feriti a bordo... Scesi di nuovo a zero piedi e riguadagnai il golfo più in fretta possibile.

Ero così impegnato a tenere in aria l'aereo, e Mike a somministrare morfina a Bob e Hoppy, che eravamo già quasi sull'Inghilterra quando ci accorgemmo che Luke non aveva più detto una parola. Mandai Mike di dietro a controllare...

La torretta di coda era completamente girata verso destra. Le paratie blindate erano aperte. Di Luke e Dinah non c'era traccia.

Luke si era lanciato quando avevo dato l'ordine di evacuazione. Era ancora più terrorizzato dal fuoco del resto di noi.

Atterrai sul campo di un comando costiero vicino a Land's End; ma il fuoco aveva indebolito la fusoliera, e all'impatto col suolo si spaccò a metà. Addio, B-Baker. Addio, Bob e Hoppy: li aspettava entrambi una lunga permanenza in ospedale, ma Bob alla fine si riprese bene. Addio al mio puntatore e mitragliere frontale, un ragazzo di nome Harris che non è veramente entrato in questa storia. Si era lanciato dal portello anteriore quando avevo dato l'ordine, e aveva finito la guerra allo Stalag Luft XII. E addio per sempre, Luke e Dinah. O almeno, così credevo.

Il comandante propose di assegnare la Croce dell'Aeronautica a Bob e Hoppy, e mandò me e Mike a casa in licenza per un mese. Era la fine di aprile, e le notti stavano diventando troppo brevi per i raid in Germania. La mimetizzazione degli aerei andava cambiata dal nero notturno al verde e marrone diurno, e gli equipaggi stavano ricevendo il nuovo addestramento per i bombardamenti in pieno giorno; nessuno sembrava sapere che farsene di due residuati bellici come noi. Non era consueto che il ministro dell'aeronautica fosse così generoso, ma avevamo quasi completato due turni di servizio. Ad ogni modo, passai un bel periodo a casa, lavorando nel giardino dei miei genitori, che era andato in malora, con il vecchio a lavorare per la mobilitazione generale richiesta dalla guerra, e guardando ruspanti partite di cricket improvvisate in paese, mentre il mondo si preparava al D-Day senza di me.

Stavo strappando le erbacce nell'orto sul retro,

le mani tutte sporche di terra, quando mia madre disse che c'era qualcuno per me.

Era Luke, timido e sorridente come sempre. Sembrava un pochino smagrito, ma questo era tutto.

«Dinah?» domandai con una stretta al cuore, dopo aver finito di battergli pacche sulla schiena.

Lui sorrise di nuovo. «È ancora per strada,» disse. Poi mi raccontò tutto.

Era atterrato sano e salvo col paracadute, con Dinah stretta fra le braccia, anche se aveva rischiato di perderla per il contraccolpo quando il paracadute si era aperto. Ma una volta a terra era subito schizzata via sentendo avvicinarsi qualcuno.

Per fortuna era brava gente francese, che affidò Luke alla rete di partigiani che aiutava gli avieri inglesi a uscire clandestinamente dal paese.

Non fu una bella avventura. Volare sugli aerei era una cosa. Camminare e pedalare attraverso la Francia occupata, in abiti civili e con un basco sulla testa, era un'altra. Aveva tenuto indosso la sua casacca della RAF sotto il soprabito, ma aveva comunque paura che i Jerry lo avrebbero fucilato come spia se lo avessero preso. E le interminabili attese al buio in fienili e cantine...

Fu Dinah a dargli la forza di andare avanti. Lo aveva seguito per tutto il difficile percorso attraverso la Francia. Nei momenti più duri, come quando Luke doveva seguire la sua guida oltre pattuglie tedesche, appariva all'improvviso, sporgendo la sua testa bianca da dietro un muro, o trotterellando lungo la strada in avanscoperta. A volte, quando lui doveva restare nascosto a lungo in un fienile, sgusciava dentro per fargli una visita. Luke aveva paura anche per lei, perché i francesi erano parecchio affamati a quell'epoca, e mangiavano i gatti come una leccornia da pranzo di Natale. Mi raccontò che non vide un solo altro gatto in giro, e quando la gente si vedeva offrire pasticcio di coniglio al ristorante boccheggiava eloquenti miagolii.

Ma Dinah era rimasta con lui, fino al confine spagnolo. E allora era successa la cosa veramente incredibile.

La notte in cui erano entrati in Spagna, sulle colline ai piedi dei Pirenei, si imbatterono in un'ultima pattuglia di frontiera di soldati tedeschi accompagnati dalla locale polizia di Vichy. Si affrettarono a mettersi al riparo, aspettando che passassero. Ma l'ultimo Jerry indugiava, insospettito dalla macchia di cespugli in cui Luke si era gettato, appiattito al suolo, con la guancia premuta contro la terra. Chissà come, sembrava che avesse avvertito la presenza di qualcosa di vivo là in mezzo. E poi Luke, incapace di trattenere un istante di più il fiato, aveva fatto un lungo respiro, e un ramoscello secco si era spezzato sotto il suo torace. Il Jerry si era avviato verso i cespugli, con il mitragliatore puntato, e aveva chiamato gli altri...

E allora, con perfetto tempismo, Dinah era saltata fuori dai cespugli, perfino con un dannato topo in bocca.

Luke disse che il Jerry doveva essere un amante dei gatti. Fece un sacco di smancerie a Dinah, la accarezzò, la chiamò "liebling". Gli altri risero di lui, poi gli dissero di muoversi, che non potevano stare lì ad aspettarlo tutta la notte.

E così Luke era passato in Spagna, e poi nel più sicuro Portogallo, con Dinah che continuava a seguirlo a distanza.

Aveva raccontato tutta la storia al console inglese a Lisbona, certo di ottenere un passaggio anche per Dinah sul bombardiere senza insegne che lo avrebbe riportato a casa insieme ad altri nostri soldati.

Ma il console storse il naso, parlò di regolamenti e precauzioni contro la rabbia, e rifiutò l'autorizzazione.

Luke non avrebbe dovuto preoccuparsi. Stavano sorvolando il Golfo di Biscaglia quando Dinah sbucò da sotto le coperte del lettino di bordo. E i bravi ragazzi dell'equipaggio acconsentirono a farla sbarcare di nascosto a Hendon.

Guardai il mio orologio. I miei genitori vivevano "da qualche parte nelle contee intorno a Londra," come eravamo soliti dire per motivi di sicurezza a quei tempi. E Hendon era ad appena trenta miglia da lì.

«Mi troverà,» disse Luke. «Vedrai!»

«Meglio che resti a aspettarla qui da noi. Sarà stanca, poveretta. Non vorrai farle fare a piedi tutta la strada fino a East Doddingham.»

Nessuno di noi due aveva il minimo dubbio che sarebbe arrivata. E infatti due giorni dopo, di buon mattino, Dinah saltò sul letto di Luke dall'abbaino aperto.

Dinah avrebbe dovuto tornare a East Doddingham in trionfo. Ci si sarebbe aspettati che le sue imprese finissero sui giornali. Ma il nostro vecchio caposquadriglia era andato dove andavano i buoni capisquadriglia: a preparare nuove basi aeree avanzate nella Francia che presto sarebbe stata liberata. Al suo posto c'era un nuovo ufficiale che non conosceva Dinah. E l'odore della vittoria era già nell'aria, e con esso quello di tutte le stronzate di tempo di pace che erano il flagello della RAF.

Nella base aerea dove era stata regina, dove tutti avevano elemosinato un ciuffetto del suo pelo come portafortuna, dove ogni baffo che perdeva veniva conservato come una reliquia, Dinah ormai non era considerata altro che un rischio di rabbia. Proponemmo di metterla in quarantena, facendo una colletta per coprire le spese. Ma simili sciocchezze non erano tollerate; c'era una guerra da vincere. Dinah andava eliminata.

Non c'era tempo per agire con diplomazia. Tendemmo un agguato al poliziotto della RAF mentre portava via Dinah in una grossa gabbia sudicia dalla cella in cui era stata segregata. Fu piuttosto semplice. Io lo stesi, e Luke prese la gabbia e scappò.

Non mi mandarono davanti alla corte marziale per aver colpito un ufficiale di un altro corpo della RAF. Forse avevano paura che la storia di Dinah saltasse fuori. Mi diagnosticarono un esaurimento dovuto a stress da combattimento, e mi misero a pilotare una scrivania per il resto della guerra.

Il mio equipaggio si riunì per la prima rimpatriata nel 1948. A Hoppy c'era voluto tutto quel tempo per organizzarlo, dopo che ebbero finito di sottoporre a operazioni quel che restava delle sue mani. C'eravamo tutti, eccetto Luke. Il ministro dell'aeronautica non era stato generoso con lui. Lo avevano arrestato nel 1945, quando era tornato a casa per il funerale di sua madre. Aveva scontato la sua pena nel carcere militare, poi era stato congedato con disonore.

Noi lo ritrovammo nel 1950. Era riuscito ad arrivare nell'Irlanda del Nord con Dinah; lei si era imbarcata clandestinamente sul traghetto Belfast-Laugharne, seguendolo come sapeva che avrebbe fatto. Avevano raggiunto insieme la libertà della Repubblica d'Irlanda; lui aveva trovato lavoro come bracciante, ed erano rimasti lì finché sua madre era morta.

Da allora, non aveva più visto Dinah. Si diceva

che un gatto bianco avesse gironzolato per molto tempo intorno al cancello della prigione militare, ma quando Luke finalmente fu scarcerato lei non c'era più. Forse si era stancata di aspettare. O era finita sotto un autocarro.

L'anno seguente, quando ci trovammo per la nostra riunione, decidemmo di andare a East Doddingham. Una volta là, rimpiangemmo di averlo fatto. Dio, che disastro. La caserma era scoperchiata. Le piste erano dissestate, e venivano usate la domenica pomeriggio da uomini che davano lezioni di guida alle mogli. Sul campo erano tornate a crescere le rape, e gli hangar erano stati adibiti a depositi per cereali. La RAF aveva giudicato spendibile East Doddingham, così come aveva sempre ritenuto spendibili noi.

Ma Luke giurava di avere intravisto Dinah. Una testa bianca che ci sbirciava da sopra il parapetto di quella che un tempo era stata la piazzola di sosta dei B-Baker. Nessun altro la vide, ma facemmo finta di credergli.

La cosa buffa è che da allora siamo sempre andati a East Doddingham per la nostra riunione annuale. Dio solo sa perché. È un posto tremendamente squallido. La sistemazione nella locanda è obbrobriosa, e la birra sa ancora di piscio come una volta.

Ma ogni anno, qualcuno di noi sostiene di avere scorto Dinah. Non la vediamo mai quando siamo tutti insieme. Ma c'è sempre un sentimentale che va a farsi un'ultima passeggiata intorno al vecchio campo, e quando torna indietro afferma di averla vista. Appare solo per un istante, e subito dopo è svanita. Non si avvicina mai per fare un saluto.

Quest'anno io stesso ho visto un gatto bianco, fermo sull'asfalto crepato a fissarmi con grandi occhi imperscrutabili inseriti in una testa candida e delicata. È impossibile che fosse lei. Avrebbe quarant'anni e passa, e nessun gatto vive tanto a lungo.

Ma forse Dinah è tornata alla base nel 1945, quando era già stata abbandonata e non restava nessuno che si ricordasse di lei (era difficile arrivare alla vecchiaia, nella RAF). Forse alla fine aveva potuto vivere in pace, e allevare dei gattini. Forse quella che avevo visto era sua figlia, o sua nipote.

O forse era un fantasma. O forse lei vive solo nei ricordi affettuosi e nella vista corta di un gruppetto di reduci avanti con gli anni.

Ma certamente non era un fantasma nel 1944.

Il richiamo della foresta

Vivere con un gatto è vivere con la paura.

Puoi tenere un cane al sicuro finché muore di obesità: collare e guinzaglio e passeggiate nel parco. Ma non i gatti; ai gatti piace camminare sul filo del rasoio.

Uno può negare la natura del gatto. Come la coppia senza figli in fondo alla strada, i cui persiani bianchi non escono mai di casa, se non in gabbiette immacolate per il loro viaggio mensile dal veterinario. Se ne stanno per ore interminabili seduti alla finestra della camera da letto al piano di sopra a fissare il mondo che si muove, talvolta alzando inutilmente una zampa a toccare il vetro. Ma per lo più stanno immobili; per un po' ho creduto che fossero dei peluche.

Ogni creatura dovrebbe essere lasciata vivere e morire, secondo la propria natura. Ma i gatti hanno due nature. Prendiamo Melly, la mia europea marmorizzata. In casa è una servile adulatrice, sempre pronta a saltarmi sulle ginocchia non appena mi siedo, facendo le fusa, sbavando, implorando una carezza di approvazione. Un'inoffensiva supplice...

I miei vicini la chiamano l'acchiappauccelli. Va a caccia nel loro giardino, colmando la loro vuota esistenza da pensionati con dimostrazioni di astuzia predatoria che sono meglio di qualunque safari in Africa si veda alla televisione.

È molto diplomatica; si guarda bene dal portare un uccello a casa.

L'ho vista io stesso, a tarda notte, attraversare i cortili della nostra via come un ostacolista olimpionico, nella luce arancione dei radi lampioni stradali. Ho provato a chiamarla, ma lei mi ignora, passando oltre senza la minima esitazione. Il richiamo della foresta è ben più forte del mio.

Due nature. Un fagotto ronfante tra le tue braccia; un Buddha contemplativo accanto al fuoco. Ma quelle orecchie appuntite si muovono anche nel sonno, ascoltando l'oscurità ventosa di fuori. All'improvviso, sebbene tu non abbia sentito niente, scattano in piedi, e via al galoppo attraverso lo sportellino a battente. A volte tornano a sonnecchiarti in grembo cinque minuti dopo; altre volte ti vengono riportati il mattino dopo (da un vicino che non ha il coraggio di guardarti in faccia) inerti, con le zampe rigide, in un sacco di plastica. Non hai nemmeno il tempo di dirgli addio. Ma tutto secondo natura...

Anch'io un tempo sentivo il richiamo della foresta. Anche a quarant'anni suonati, bastava un bagliore azzurrognolo nel fuoco della stufa in una notte d'inverno, ed ero fuori a camminare sotto le gelide stelle. Ma adesso le gambe mi fanno male dopo una giornata a scuola; e la fiamma del carbone che diventa blu mi spinge solo a prendermi un whisky e sprofondarmi di più nel mio libro. I miei gatti rispondono per me al richiamo della foresta, tornando a casa con accenni di pioggia sul pelo, o strali di freddo, o l'odore di benzina del vecchio impianto chimico. Quando affondo la faccia nella loro pelliccia, so che cosa sta facendo il mondo là fuori.

Come i tre Re Magi, portano doni. Lombrichi vivi, che io riporto immediatamente alla più vicina zolla di terra. Insetti martoriati, ormai impossibili da salvare, passati da trastullo a cibo in uno scrocchio. Una volta il mio vecchio soriano, Ginger, irritato perché non riusciva a cacciare come le ragazze, tornò con quel tipico mugolio di trionfo e un pacchetto di bacon fresco in bocca. Lo feci fritto per cena, dandogli la sua percentuale.

Ma la cosa più strana che Ginger portò a casa, in una notte di Halloween di gelo intenso, fu un minuscolo micetto vivo, esattamente del suo stesso colore. Fu questa la sola ragione per cui non lo scambiammo per un topo, perché le sue orecchie erano ancora piatte contro il cranio, gli occhietti chiusi, e il pelo bagnato di saliva.

Gli gridammo cose ridicole, pretendendo di sapere dove lo avesse preso, insistendo perché lo riportasse dalla madre. Lui ammiccò con distacco alle nostre assurdità e uscì di casa, dando a intendere che la sua parte l'aveva fatta, e adesso toccava a noi.

Mia moglie aveva un cuore d'oro. Non amava i gatti in modo particolare, ma tutte le creature viventi, e i gatti per riguardo nei miei confronti. Il tappeto del nostro soggiorno fu trasformato all'istante in un ospedale, attrezzato con coperte infeltrite, vecchi asciugamani, latte caldo e contagocce, e lei si sobbarcò il traffico della somministrazione di sei pasti giornalieri.

Tipicamente, la gattina (perché era una femmina, avevamo appurato) ricambiò le sue premure diventando totalmente devota a me. Fin dall'inizio, dormiva beata sulla mia spalla mentre io leggevo. Nel giro di quattro settimane, si arrampicava lentamente e faticosamente su per le mie gambe per raggiungere la sua postazione preferita.

La chiamai Rama, senza alcuna ragione precisa. Mia moglie commentò che sembrava la marca di un lucidante per metalli. Malgrado gli stenti iniziali, Rama crebbe con rapidità stupefacente. A Natale, in un accesso di gioia infantile, facemmo omaggio a ciascuno dei nostri gatti di un pezzo di pollo. All'improvviso sentimmo soffiare in tono minaccioso, e quando guardammo di nuovo, Rama aveva un pezzo di pollo sotto ogni zampa e uno in bocca. Per quanto fosse giovane, nessuno degli altri si azzardò a sfidarla. Quella notte,

Ginger se ne andò per sempre da casa, prendendo la residenza alla lavanderia del paese.

Poi fu la volta della battaglia per la conquista del posto sulle mie ginocchia, qualcosa che ogni proprietario maschio di gatte conosce bene. Le altre spesso mi si mettevano in grembo una accanto all'altra, apparentemente pacifiche, anche se ogni tanto si stiracchiavano e, facendo finta di niente, cercavano di buttarsi giù a vicenda. Oppure si stendevano deliberatamente sopra le altre, rendendomi parte integrante di un sandwich di gatto. Arrivavano persino a prendersi a botte tra le mie gambe, il che è allarmante, se non autenticamente doloroso.

Ma Rama non si abbassava a simili bisticci. Quando lei entrava nella stanza, le bastava una sola occhiata, e chiunque occupasse le mie ginocchia sloggiava all'istante.

Il suo disinvolto predominio era evidente all'ora dei pasti. Quattro gatti che si azzuffavano intorno a una ciotola, e Rama che mangiava indisturbata dall'altra. E non osavano nemmeno annusare i suoi avanzi, anche quando lei se n'era andata.

E continuava a crescere. Più grossa ancora di Melly, che era già grande per un gatto. Ogni mattino, mentre mi pettinavo prima di andare a scuola, assistevo a una piccola commedia. Rama si metteva seduta al cancello, come se intendesse accogliere il mondo intero. E molti passanti si fermavano ad accarezzarla, perché era molto bella con il suo lungo, vaporoso pelo rossiccio e il folto pennacchio della coda. Ma poi, avvicinandosi, notavano le sue dimensioni, e avvertivano la sua sicurezza, e cominciavano ad avere delle incertezze. Restavano lì esitanti, con la mano a mezz'aria, e poi se ne andavano senza averla accarezzata.

Quando mi stava addosso, cominciava ad essere oppressiva. Il suo peso era appena tollerabile sulle mie gambe dolenti, ma quando, trasportata da una qualche passione felina, insisteva per piazzarmisi sul petto con le zampe intorno al mio collo, facevo veramente fatica a respirare. Per giunta, aveva quella sua peculiare abitudine di fissarmi negli occhi da una distanza di cinque centimetri. Nessun altro dei miei gatti lo aveva mai fatto, perché per loro lo sguardo diretto è una sfida. Ma lei sì, ed ero io ad abbassare gli occhi: Rama aveva una personalità pesante, così come un corpo pesante.

Ma la sua delicatezza la rendeva sopportabile. Gli altri gatti mi hanno sempre lasciato sulle cosce, le spalle e la schiena un reticolo di sottili graffi rossi con i loro salti mal calcolati, le loro fughe improvvise e precipitose, e i loro convulsi stiracchiamenti. Quasi non oso andare a nuotare: la gente fa illazioni che mettono in imbarazzo mia moglie. Ma Rama non mi ha mai messo un'unghia addosso, eccetto una volta. Era un gatto delizioso con cui sonnecchiare. Dopo una pesante giornata a scuola, tendo ad appisolarmi davanti al fuoco scoppiettante e il notiziario delle sei. Con Rama sulle ginocchia, facevo sogni piacevoli che poi non riuscivo a ricordare, e mi svegliavo senza avere il collo indolenzito, in forma per la serata.

Poi lei cominciò a violare la privacy della nostra camera da letto quando era ora di andare a dormire. E lì, mia moglie tracciò il limite invalicabile della sua pazienza. Rama doveva essere immediatamente portata di sotto e messa fuori. Lei non si ribellò mai, ma il modo in cui tirava indietro le orecchie non lasciava alcun dubbio sulla sua opinione. Poi scoprì la riluttanza di mia moglie ad alzarsi di nuovo, una volta che era al calduccio sotto le coperte. Così si nascondeva per tempo in camera da letto, quasi trattenendo il respiro dietro le tende tirate o nell'ombra che la pianta di plastica proiettava al chiaro di luna. A volte, mentre mi svestivo, la scorgevo acquattata nel suo nascondiglio, ma i suoi grandi occhi verdi e fosforescenti mi imponevano il silenzio. Poi, appena il respiro di mia moglie si faceva più pesante, Rama attraversava come un fantasma il tappeto e mi saltava tra le braccia ronfando sommessamente.

Ma infine cercò di spingersi troppo oltre, insinuandosi tra me e mia moglie nel letto. Davanti a un simile affronto, mia moglie si alzò e Rama venne estromessa senza tanti complimenti. Per un po' di tempo, Rama non tentò altre incursioni in territorio ostile...

Anche mio figlio Peter ha sempre vissuto secondo la propria natura. Dopo il dottorato in zoologia, la sovrintendenza di una famosa ma totalmente sperduta riserva di uccelli in Scozia. Una moglie non solo bella, ma anche con la sua stessa passione per la zoologia, e avvezza alla nobile povertà che quel tipo di vita comportava. Contenta di una casetta con tre camere da letto, un piccolo laboratorio, e l'utilizzo della Land Rover in dotazione alla riserva.

Solitamente si organizzano in modo che i loro figli nascano verso la fine di luglio, quando noi possiamo andare in Scozia a tenere il fortino. Mia moglie si occupa dei bambini. Io mi arrangio in qualche modo a prendere il posto di Sheila, mettendo anelli di plastica alle anatre, ripulendo cormorani imbrattati di catrame, impedendo che anziani ornitologi cadano da qualche dirupo, e facendomi comandare a bacchetta da Peter. Mio figlio ha sempre i nervi a fior di pelle quando sta per diventare papà. Per qualche giorno smette di essere un responsabilissimo trentenne e si passa le dita fra i capelli come un ragazzino confuso, i polsi esili che spuntano per miglia dalle maniche del maglione rattoppato.

Ma quell'anno, con tutte le loro lauree, avevano fatto male i conti. Il bambino sarebbe nato in novembre. Mia moglie prese la macchina e partì da sola. I notiziari stradali avvertivano che era rischioso mettersi in viaggio a causa delle forti nevicate, e non mi diedi pace finché non mi ebbe telefonato per assicurarmi che era arrivata sana e salva alla riserva. Allora cominciai a commiserarmi. Noi abitiamo in una grande casa vittoriana piuttosto isolata, sulla cresta della collina sovrastante il vecchio impianto chimico. In effetti, era la casa del direttore. Comprarla era stato un affarone, dal momento che la vista dell'impianto dimezzava il prezzo, sebbene il panorama delle Frodsham Hills sullo sfondo sia splendido.

La nostra vita sociale di solito è fin troppo intensa per i miei gusti, in aggiunta agli incontri serali a scuola e tutte quelle assurdità senza le quali il genitore moderno non ritiene che suo figlio stia ricevendo un'educazione appropriata. Ma una volta che mi ritrovai senza mia moglie, mi resi conto che era tutto imperniato su di lei. Non si può dare cene senza cucinare. E non mi piace andare al cinema da solo. Di fatto, scoprii che, dopo trent'anni di matrimonio, non mi piaceva andare proprio da nessuna parte per conto mio. La situazione era abbastanza deprimente, ma ero troppo stanco per farci qualcosa, con gli scrutini del primo termine in corso.

Per la prima volta mi accorsi del vento; del modo in cui i rampicanti battevano contro i vetri delle finestre. La presenza di mia moglie aveva sempre eclissato tutti quei piccoli rumori. Non che avessi paura. Piuttosto, mi sentivo come un uomo primitivo che stesse esplorando di notte una caverna che era sempre stata un po' troppo grande per lui, e col buio lo era ancora di più. I miei occhi notavano nuove ombre nei corridoi; le mie orecchie si rizzavano troppo spesso mentre mangiavo i miei fagioli stufati tiepidi nella grande, fredda cucina.

I gatti erano un gran conforto. La sera ce ne stavamo tutti insieme al calduccio, Rama sulle mie ginocchia, e gli altri appollaiati sullo schienale di una poltrona o la mensola del caminetto. Ma solo Rama veniva a dormire con me. Quando mi svegliavo durante la notte (cosa che normalmente non mi succede mai) era piacevole sentire il suo peso sul letto e allungare una mano a toccare il suo grande, soffice fianco che si alzava e abbassava nel sonno.

Così fui a maggior ragione contrariato quando, una notte ventosa, venni svegliato alle tre dal suo insistente raspare alla porta, che mi chiedeva perentoriamente di farla uscire. Non conveniva lasciare che Rama grattasse a lungo, se si teneva alla verniciatura.

«Va', allora, accidenti a te,» borbottai. Lei svanì come un fantasma lungo il corridoio, e io tornai nel mio letto freddo, sentendomi completamente abbandonato.

Mi stavo giusto riaddormentando quando iniziarono le grida.

Ora, essendo il preside di una scuola, io mi considero un esperto dello strillo femminile: isterico, giocoso, o spaventato. Sul serio, sono in grado di capire da un urlo fuori da casa nostra se una giovane donna è semplicemente ubriaca, o sta litigando con un'altra, o sta ricevendo delle attenzioni di carattere sessuale, gradite oppure no. In effetti, uscendo a vedere, ho prevenuto almeno due stupri, poiché la zona di prati incolti e macchie di alberi intorno al vecchio impianto sembra attirare molte più coppie del nostro grazioso parco municipale.

Ma stavolta era un uomo a gridare: grida di terrore, come non mi capitava di sentirne dai tempi in cui ero nell'esercito. Ed era in casa mia. Al piano di sotto.

Balzai giù dal letto, tremando dalla testa ai piedi; il mio pigiama aveva una dispettosa tendenza a scappare giù. Le grida continuavano. Sentii sbattere una porta. Altre voci che gridavano. Rumore di vasellame infranto.

Chiamai il 999 dalla derivazione sul comodino e fui lieto di sentire la voce del poliziotto. Quando riagganciai mi sentivo già più coraggioso, soprattutto perché le grida erano cessate. Andai nella vecchia camera da letto di Peter e presi il suo fucile calibro 22, ricordando come ci divertivamo a sparare insieme, senza far del male a nient'altro che bottiglie vuote galleggianti nel bacino dello stabilimento. Trovai la scatola delle cartucce, e caricai l'arma con mani tremanti. Poi, contro il consiglio del poliziotto con cui avevo parlato, scesi al pianoterra, accendendo ogni luce al mio passaggio.

La cucina era uno sfacelo; sedie rovesciate, un mare di cocci che scricchiolavano sotto i miei piedi, la porta sul retro aperta, che sbatacchiava al vento. Notai degli schizzi rossi tra le macerie di un servizio di piatti; sulle prime pensai che qualcuno avesse rotto la mia bottiglietta di ketchup, ma quando feci per assaggiare mi accorsi che era sangue.

Oddio, i miei poveri gatti... loro durante la notte stanno in cucina.

Ma quando girai attorno lo sguardo, vidi che le gatte erano tutte lì: Melly, Tiddy, Vicky e Dunnings: appollaiate sulla credenza, o acquattate sotto la stufa a gas, gli occhi dilatati, paralizzate dal terrore, ma illese. Tutte eccetto Rama... la mia povera Rama, che aveva cercato di avvertirmi solo dieci minuti prima.

Un agente entrò dalla porta sul retro, la radio crepitante agganciata alla giacca della divisa.

«È lei il padrone di casa, signore?»

«Sì, sono stato io a chiamare.»

L'agente diede un'occhiata attorno. «Furto o lite domestica?»

Mi chiesi come dovevano vivere certe famiglie, poi risposi recisamente: «Mia moglie è via, in Scozia. Sono solo in casa.»

«Meglio che metta giù quel fucile, signore. È carico?»

Misi la sicura. «Ho una regolare licenza,» assicurai, domandandomi da quanto tempo fosse scaduta.

In quel momento apparve un altro poliziotto, facendo penzolare la mano con aria saputa attraverso un buco circolare nel vetro della porta. «Furto con scasso. Lavoro da professionisti. C'è un furgone della portata di quindici quintali parcheggiato nella stradina qua dietro. Targa di Liverpool. Risulta di proprietà di un certo Moore, un forte scommettitore. Stanno facendo un controllo su di lui al computer della polizia giudiziaria.»

«Alla faccia del furto... hai visto là?» Il primo agente indicò una chiazza di sangue con la punta di una lucida scarpa. «Lei non è ferito, signore?» Entrambi sbirciarono il mio pigiama cascante.

«No, no.»

I loro occhi si fecero duri come biglie di vetro. «Ha sparato a qualcuno, cercando di sventare il furto?»

«No, no. Sentite...» Porsi loro il fucile. «Non ha sparato.»

I due agenti annusarono la canna e sembrarono ancora più perplessi.

«Ho paura che possano avere ucciso uno dei miei gatti,» aggiunsi. Mi era assurdamente difficile non piangere.

Solo allora si accorsero dei gatti, immobili come statue, e toccarono cautamente i loro corpi rigidi.

«Ne manca uno, dice? Parecchio sangue, per un gatto...»

«Hanno lasciato una bella serie di impronte.» Il secondo agente indicò la parete dietro la porta aperta. Vi era impressa l'impronta di un'intera mano umana, fatta in quello che sembrava essere sangue.

Raccattai stancamente l'ultimo coccio e lo gettai nella pattumiera. Poi riempii un secchio d'acqua e cominciai a lavare il pavimento. Gli esperti della scientifica erano stati lì fino all'ora di pranzo, lasciando il posto in uno stato ancora più disastroso di prima. Quel giorno evidentemente non mi sarebbe stato possibile andare a scuola. Avevo appena telefonato alla mia segretaria, quando suonò il campanello.

Impermeabile bianco, cappello floscio di feltro. Sergente Watkinson, sezione investigativa della polizia giudiziaria.

«Sarà contento di sapere che abbiamo preso un membro della banda, signore. E abbiamo i nomi degli altri. L'amico ci ha detto tutto quello che volevamo sapere... dopo essersi ripreso dall'anestesia.»

«Anestesia?»

«Lo abbiamo trovato al Liverpool City Hospital. Lo avevano scaricato là. Per loro sarebbe stato solo un peso, dal momento che aveva perso un occhio.»

«Un occhio?» gli feci di nuovo eco, piuttosto stolidamente. Lui cambiò discorso, lasciando che facessi le mie congetture.

«È una nota banda di ladri, specializzata in antiquariato. Girano per le case chiedendo se si hanno delle antichità da vendere; poi, una settimana dopo, entrano e si portano via tutto. È gente senza scrupoli. Sono lieto che lei non abbia fatto personalmente la loro conoscenza, signore.»

«Ma... che cosa è successo?»

«Mi è parso di capire che lei ha dei gatti...» Aveva un'espressione strana: da segugio che avesse fiutato una pista.

Feci un cenno col capo in direzione delle bestiole che, ancora scosse, continuavano a stare rincantucciate in cucina. Lui tese la mano e le accarezzò con prudenza, una per una. «Non sono molto grandi, anche per dei gatti domestici,» commentò. «Voglio dire, sembrano piuttosto inoffensivi. Quell'altro gatto che mancava... non è più tornato, vero? Quanto era grande, quello?»

«Solo un grosso gatto domestico... dove vuole arrivare, sergente?»

«Be', quel tizio che abbiamo preso... dice di essere stato assalito da qualcosa di grosso nel buio. Lei non ha felini esotici, signore? Un leopardo, o un ghepardo? Stanno diventando abbastanza diffusi, tra la gente che può permetterseli.»

«Niente del genere. È solo un grosso gatto domestico. Naturalmente, ci sono i gatti che vengono in visita, attraverso lo sportellino. Un grosso maschio, magari selvatico, può diventare pericoloso quando si trova intrappolato in una casa che non conosce e si sente in pericolo.»

«Già.» Il suo tono non suonava molto convinto. «Quell'impronta di sangue che abbiamo trovato sul muro, signore... Non corrisponde a nessuno dei membri della banda che ci risulta abbiano preso parte al tentato furto. Pensano che sia di una donna. Unghie lunghe...» Mi guardò, come aspettandosi qualcosa da me.

«Temo di non poterla aiutare, sergente. Mia moglie porta le unghie corte.»

«Dove si trova sua moglie, attualmente?»

Gli diedi il numero di telefono di mio figlio. «Adesso posso lavare via quell'impronta dal muro?»

«Se ci riesce... Provi con del detergente biologico. Le macchie di sangue sono difficili da togliere.»

«Non c'è altro?»

«Per ora no. Ma mi dia un colpo di telefono se dovesse saltare fuori quell'altro gatto. Mi piacerebbe vederlo.» Si fermò con la mano sulla porta, esitante. «Sa, non capisco proprio perché quel ladro avrebbe dovuto mentire. Non nelle sue condizioni.»

«Una tazza di tè, sergente?»

«Se lo sta già facendo, volentieri.» Era la terza volta che tornava a cercare Rama. Sempre senza successo. Dopo una settimana, ancora non si era vista. Ma qualcosa continuava ad attirarlo a casa nostra. Anche gli investigatori devono vivere secondo la propria natura, suppongo.

«Il caso è chiuso,» annunciò, mettendo due cucchiaini di zucchero nel suo tè. «Abbiamo preso l'ultimo della banda ieri, e ha confessato altri venticinque furti con scasso. È stato facile fargli vuotare il sacco. Come con gli altri, del resto.» Girò di nuovo il cucchiaino nella tazza, soprappensiero. «In effetti, è strano che siano crollati così in fretta. Era gente dura. Se lei fosse sceso al piano di sotto quella notte, l'avrebbero conciato per le feste. Può essere grato a qualunque cosa ci fosse nella sua cucina...»

Di nuovo, lasciò il discorso in sospeso.

«Ascolti, sergente, io non ho mai avuto un leopardo o un giaguaro. Come avrei potuto, senza che lo sapesse mezza città? Sono una figura pubblica. Non posso permettermi certe eccentricità.»

«Lo so, signore. Abbiamo fatto qualche indagine. Ci risulta che lei sia una persona irreprensibile, signor Howard Snowdon. Membro del Rotary... e molto stimato, anche. Un po' troppo amante dei gatti, forse, ma pare che le sue infedeltà coniugali si limitino a questo.»

«Stia attento, sergente, o comincerò a fare indagini su di lei.»

«Su di me?»

«Il suo ispettore è uno dei miei vecchi alunni, e

lo stesso tre dei suoi sottoposti. Sa, anche i presidi hanno il loro potere.»

Sorridemmo entrambi. Mi aveva tenuto buona compagnia durante l'ultima settimana, che in assenza di Rama era stata più solitaria che mai.

Si alzò e ci stringemmo la mano. «Bene, non credo che verrò più a disturbarla, signor Snowdon. Come dicevo, il caso è chiuso. Eccetto che non so ancora che cosa oserò scrivere sul rapporto ufficiale... che possa reggere in tribunale. Non mi piace lasciare delle questioni in sospeso...»

Lo accompagnai al cancello, aspettai che avesse avviato la macchina, e lo salutai con un cenno della mano mentre si allontanava. Poi mi voltai.

Rama era seduta sulla soglia di casa, nell'ombra del crepuscolo, stagliata contro la luce del corridoio alle sue spalle. O almeno, la sagoma era quella di un gatto; un gatto molto grosso, in effetti.

Non andai direttamente alla porta; seguii la curva del vialetto, perché il prato era bagnato e io ero in pantofole.

Se non era Rama, il gatto sarebbe scappato vedendomi avvicinare.

Se non fosse scappato, doveva essere Rama.

Il gatto mi guardò in silenzio, limitandosi a girare leggermente la testa mentre io camminavo lungo la curva. Forse era il contrasto con la luce dietro di lei a farla apparire così grande...?

A tre metri di distanza esitai. E se il gatto non fosse scappato, e non fosse stata Rama?

«Rama? Rama?»

Nessuna reazione. C'era un forcone da giardinaggio piantato nell'aiuola delle rose, dove stavo rivoltando la terra dopo la potatura. Allungai lentamente la mano a prenderlo. Mi sentivo molto meglio, impugnando il forcone.

Il gatto ancora non si mosse, né fece il minimo verso.

Questo era il colmo. Avrei dovuto lasciarmi intimidire da un dannato gatto randagio? Avanzai, puntando i rebbi del forcone davanti a me.

Immediatamente il gatto si alzò, si stiracchiò languidamente avanti e indietro, poi la sua coda folta si alzò in segno di saluto, la punta leggermente piegata verso sinistra. Quei salamelecchi mi erano familiari...

Rama. Sembrava quasi che stesse ridendo di me. La presi in braccio e la portai dentro. Sembrava più grossa, molto più pesante. Doveva essere stata la vita allo stato brado, l'alimentazione a base di proteine fresche e sanguinanti. Ci sono ratti in abbondanza nel vecchio impianto chimico; perfino conigli, adesso che è chiuso da anni e l'erba cresce tra i ciottoli.

Estatica, premeva ritmicamente le zampe anteriori sul mio petto, estraendo e ritraendo gli artigli. Li sentivo, posso assicurarlo, anche attraverso il mio pesante maglione. Le dissi di scendere, ma lei non voleva saperne. Afferrai la zampa che mi infliggeva il maggiore tormento, e sentii le solide ossa allargarsi e contrarsi; tenerle ferme era al di là del mio potere. Fu un sollievo scaricarla sul tavolo di cucina.

«Dove sei stata, ragazzaccia? Mi hai fatto preoccupare da morire.»

Poi mi resi conto che non era esattamente vero. Per tutta la sua assenza, gli altri gatti non avevano osato toccare il cibo nella sua ciotola personale o sedermisi in grembo. Sapevano che sarebbe tornata, e così, inconsciamente, lo sapevo anch'io.

Distese una zampa anteriore sulla tovaglia. Aperta, la zampa di un gatto somiglia a una mano umana in un guanto di velluto, con artigli al posto delle unghie. Si leccò con insistenza fra le dita, facendo una pulizia accurata. Guardai con attenzione cercando tracce di sangue, sangue umano.

Le sue zampe erano senza macchia; ma del resto, lo erano sempre.

Mi sedetti a guardarla mangiare. Ultimamente avevo preso l'abitudine di tirare le tende della cucina al tramonto, perché il mio giardino è pieno di conifere alte quanto un uomo, e quando c'era vento coglievo di continuo i loro movimenti con la coda dell'occhio in un modo che alla lunga mi dava sui nervi. Oltretutto, c'era un sacchetto di plastica bianca impigliato su un ramo che avrebbe potuto essere una faccia idiota. Ma adesso sapevo che era soltanto un sacchetto, perché Rama era seduta sul mio tavolo a mangiare.

Anche lei notò il sacchetto fluttuante, e lo guardò affascinata per un momento, poi lo liquidò con una lieve scrollata di orecchie e tornò al suo pasto.

Pensai di telefonare al sergente Watkinson; ma in fondo, che c'era da fargli vedere? Preferivo di gran lunga la compagnia di Rama alla sua. Finito di mangiare, lei si mise a lavarsi d'impegno, passandosi una zampa umida dietro l'orecchio. Perfino la prospettiva che si mettesse a piovere era piacevole. Rama avrebbe dormito sul mio letto quella notte, mentre la pioggia batteva sulle finestre.

E se avesse preteso di scendere di gran fretta al piano di sotto?

Si stava comportando come un buon cane da guardia, niente di più. Okay, aveva cavato un occhio a un ladro. Un dobermann avrebbe potuto sgozzarlo. Se i cani da guardia andavano bene, perché non i gatti da guardia?

Rama smise di lavarsi e mi guardò. Nella luce fioca della cucina, le sue pupille erano tonde, dilatate, come quelle di una donna quando fa l'amore. Quando la barriera di quegli inumani occhi a fessura viene a cadere, si può entrare in contatto con l'anima di un gatto, come con qualsiasi essere umano.

Rama mi amava.

Tuttavia, le avrei fatto vedere chi era a comandare. Staccai il vecchio collare di Ginger dal chiodo di fianco al lavandino: l'unica cosa che mi fosse rimasta di lui: la coppia della lavanderia me lo aveva restituito con molto piacere. Mentre lo agganciavo a fatica intorno al collo muscoloso di Rama, mi domandai come avrebbe reagito. Certi gatti gradiscono il collare; altri non lo sopportano.

Rama si mostrò quasi troppo compiaciuta, strofinando gli zigomi contro le nocche della mia mano con grande affetto.

La sera dopo mi venne in mente che dovevo cambiare la targhetta nella capsula del collare. Dopotutto, lei si chiamava Rama, non Ginger, e in qualità di preside, io tengo molto alla precisione. Le sfilai il foglietto dal collare. Con mia grande sorpresa, non era la targhetta ufficiale fornita dal negozio di animali, ma un pezzetto di carta strappato, ingiallito dal tempo. E sopra vi era scribacchiato, con un antiquato inchiostro indelebile, I LUV U.

Stava per I LOVE YOU. Era una frase di mia moglie: un vecchio scherzo tra noi due. Ogni volta che mi lasciava un messaggio sul tavolo di cucina, chiedendomi di accendere il forno o ritirare il bucato, concludeva in quel modo. Uno sberleffo alla mia austerità di preside, suppongo.

Ma quella non era certamente la scrittura di mia moglie. Una mano illetterata, ma forte: aveva calcato tanto da rompere la carta in due punti.

Girai il pezzetto di carta. Sul retro era stampata

la scritta BRITTISH RAILWAIS. Non BRITISH RAIL, che è la versione attuale. Sembrava fosse stato strappato da un registro di presenza per turnisti. Date e orari erano segnate con lo stesso inchiostro indelebile, ma in una grafia precisa, senza dubbio di qualche impiegato delle ferrovie. Non c'era altro; il pezzo strappato era necessariamente molto piccolo, dovendo entrare nella capsula del collare. Come ultimo pensiero, lo annusai. Odore di umidità, muffa, e un lieve sentore di benzina. Veniva dall'impianto chimico, ne ero certo.

Chi mai poteva averlo scritto?

Avevo il forte sospetto che potesse essere stato uno dei miei scolari. Si sa, lo scherzo più puerile giocato a un preside dà maggiore soddisfazione dello scherzo più gustoso giocato a chiunque altro. Alcuni dei miei colleghi non fanno mettere il loro numero di telefono sull'elenco proprio per questa ragione. Io non me ne preoccupo. Vado abbastanza d'accordo con i miei ragazzi. Qualcuno addirittura mi saluta se mi incontra per strada. Quando ero appena arrivato, mi chiamavano "L'Abominevole Snowdon", ma con gli anni l'appellativo si è ammorbidito in "Vecchio Ab".

Bello scherzo, prendere il mio gatto e sostituire il foglietto nel suo collare. Ma perché non scrivere qualcosa di più saporito, come "Il Vecchio Ab è un finocchio"? Nessuno di loro avrebbe scritto "I LUV U" davanti ai suoi compagni. Forse un bambino da solo... un bambino troppo solo? Ma come avrebbe potuto sapere come lo scriveva mia moglie? E la scrittura era... strana, molto strana. Qualcuno che cercasse di dissimulare la propria grafia?

Riposi il biglietto in una teiera di porcellana che non usavano mai. Peccato che Watkinson non potesse rilevare le impronte. Ma non siamo ancora arrivati a schedare gli alunni con tanto di impronte digitali. E comunque, il modo migliore di incoraggiare questo tipo di stupidaggini è darvi importanza.

Misi un nuovo foglietto col nome e l'indirizzo nel collare di Rama, sperando che se l'avessero presa di nuovo avrebbero mantenuto i loro scherzi allo stesso livello semicivile. C'erano tanti bacini pieni d'acqua in quell'impianto in cui avrebbero potuto buttarla...

Ma mi rifiutavo di tenerla chiusa dentro. Doveva vivere secondo la propria natura.

Poi la portai di sopra per andare a letto, e lei mi si avvinghiò con lusinghiera veemenza.

La notte dopo era quasi ora di andare a dormire quando cedetti al mio impulso di guardare di nuovo nella capsula del collare.

Il foglietto con il nome e l'indirizzo era sparito un'altra volta, sostituito da un pezzetto di carta ingiallita. L'accostai al primo; i margini combaciavano perfettamente. Erano stati strappati dallo stesso foglio. Stesso inchiostro indelebile, stessa grafia rozza e brutale.

KUM UP N C ME.

Stava per "COME UP AND SEE ME." Un'altra delle frasi in codice di mia moglie. La usava per dirmi di raggiungerla di sopra quando aveva un po' di influenza e si era messa a letto prima del mio ritorno. Non lasciavo mai in giro quei biglietti. Quando eravamo più giovani, preludevano a momenti di gioia sfrenata, e mi sarei ancora sentito in imbarazzo se la signora Raven, la nostra domestica a ore, ne avesse trovato uno e avesse chiesto che cosa era.

Chi al mondo poteva aver messo le mani su quella frase? Era inquietante. Pareva quasi che mia moglie fosse nascosta da qualche parte in casa a burlarsi di me.

Eccetto per quella grafia grossolana.

Proprio in quel momento, come per confermarmi la sua assenza, mia moglie telefonò, annunciandomi che ero di nuovo nonno. Un bel maschietto sano e vispo (da cosa si capiva che era vispo, se era appena nato?). Howard Anthony George. Questo mi fece molto piacere: due dei nomi sono miei. Ma quando Peter venne al telefono gli feci notare che in quell'ordine le iniziali formavano una nota marca di decaffeinato, e alla fine ci accordammo per Howard George Anthony, che suona molto più dignitoso.

Quando riagganciai mi sentivo molto meglio.

Riposi entrambi i biglietti maleodoranti nella teiera e scrissi il mio nome e indirizzo per la terza volta.

«Che storia è questa, Rama?»

Lei diede un breve, sonoro ronfo e scrollò le orecchie in una sorta di nocomment che mi fece ridere. La presi in braccio e ce ne andammo a letto.

I LUV U. KUM.

Ti amo. Vieni. Il terzo quarto del foglio, la parte con la firma: S. BALLARD, SEGNALATORE CAPO. Così, ora sapevo da dove veniva il foglio. C'erano dei binari ferroviari di raccordo, dall'altra parte dell'impianto chimico. Doveva esserci un casello dal quale venivano azionati gli scambi. Pensavo di sapere dove si trovava. Rama ne era appena tornata, col pelo impregnato dell'odore di muffa e benzina...

Ma perché avrei dovuto andare fin lì, al buio e col vento che c'era? Avrei fatto sbellicare dal ridere quelle piccole scimmie dispettose. La storia avrebbe fatto il giro della scuola in un attimo, facendo dondolare pericolosamente la barca della disciplina. Tuttavia... guardai l'orologio: le undici passate. A quell'ora i cari tesorucci dovevano essere a nanna, o al massimo incollati alla TV a guardare un film.

Forse non sarebbe stata una cattiva idea fare un salto là a vedere che cosa stavano combinando, per accertarmi che non fosse nulla di pericoloso. Staccai il mio giaccone da marinaio dal gancio sulla porta della cucina, presi la lanterna con la cupola rossa lampeggiante dal garage, e mi incamminai. Avevo lasciato Rama a mangiare un piatto di avanzi di carne, tra l'invidioso interesse delle altre. L'intenzione era di tenerla in casa, fuori dai guai. Ma non mi ero ancora allontanato di venti metri che sentii lo sportellino dei gatti sbattere, e i pesanti tonfi dei suoi balzi oltrepassarmi nel buio.

Ad ogni modo, fui lieto della sua compagnia, mentre attraversavo l'impianto. Dio, che posto orribile. La società che ne era titolare non aveva abbastanza denaro per mandarlo avanti, e il comune non aveva abbastanza denaro per farlo demolire. I bambini vi andavano a scorrazzare, camminando in equilibrio sui tubi sospesi e arrampicandosi sui convogliatori arrugginiti e le alte rotaie. La parti più pericolose sono state cintate con reti metalliche, ma i bambini le hanno buttate giù e vanno avanti coi loro giochi mortali. Ovunque, i graffiti si mescolavano ai vecchi avvisi industriali nella luce ondeggiante della mia lanterna.

MONTACARICHI N.5 W ME PERICOLO SODA CAUSTICA SCEMO CHI LEGGE BOBBY BILLY.

Continuavamo a presentare petizioni e scrivere al nostro deputato parlamentare, ma era solo una perdita di tempo. Nemmeno San Giorgio avrebbe potuto sconfiggere il drago chiamato Niente Quattrini.

Un pezzetto di luna sbucò dalle nuvole. Il vento faceva sbatacchiare delle lamiere malferme di ferro ondulato, su tra le alte travi dei capannoni. Le suole dei miei scarponi scricchiolavano sulle scorie tossiche. Foglie secche arrivate da Dio sa dove, intrappolate come persone coinvolte in un disastro, correvano disordinatamente di qua e di là. Se mi fosse capitato qualcosa mentre ero là, pensai, sarebbero passati giorni prima che mi trovassero.

Ma la luna e la mia lanterna mi accompagnarono e, con un paio di spaventi, sbucai dall'altra parte dell'impianto, all'aperto, dove si snodava il raccordo ferroviario.

Proseguii attraverso i binari deserti, badando a dove mettevo i piedi, verso il posto dove pensavo si trovasse il casello.

Ma mi ero sbagliato. Era solo una baracca degli operai addetti alle rotaie, con un tozzo comignolo. Il tetto era crollato, e dei ragazzi avevano acceso un fuoco contro la parete esterna.

DIVIETO D'ACCESSO AI NON ADDETTI AI LAVORI. JACK BERRY È UN FIFONE.

Dentro, nient'altro che fuliggine e scintillanti schegge di vetro. Là non succedeva nulla da molto tempo.

Stavo tornando indietro, avvilito, sentendomi un idiota, quando vidi un gatto chiaro che poteva essere solo Rama sfrecciare attraverso le rotaie davanti a me. Seguendola con lo sguardo, individuai il vero casello ferroviario, nell'ombra scura di una fornace di pietra calcarea. Rama schizzò su per le scale e scomparve all'interno. Mi affrettai ad andarle appresso, preoccupato.

Il tetto piano era intatto, ma molte delle finestre a riquadri erano rotte, e rendevano difficile scrutare nell'interno buio. Salii pesantemente le scale, facendo molto più rumore del necessario, come per avvertire qualcuno che stavo arrivando. Quando spinsi la porta, cedette abbastanza per lasciare entrare un gatto, ma poi oppose resistenza con un tintinnio metallico. Accostando la lanterna alla fessura, vidi una pesante catena e un lucchetto arrugginito. Bofonchiando tra me per l'esasperazione, mi volsi per andarmene, ma in quel momento mi parve di sentirmi chiamare per nome da dietro la porta.

«Howard?»

Doveva essere stato il vento. Santo cielo, mancava poco a mezzanotte...

Avevo disceso un paio di gradini, quando la voce si fece sentire di nuovo: «Howard?»

Se proprio dovessi descriverla, direi che era una voce di donna: roca, bassa e... fuori esercizio. Come un cancello che cigolava sui cardini arrugginiti. Ma non volevo credere che fosse veramente una voce, in quel posto sinistro. Senz'altro, uno scherzo giocato dal vento...

Mentre me ne stavo lì come uno sciocco, mi giunse una terza volta, e molto distintamente.

«Howard, ti amo.»

Avrei voluto scappare, ma il vecchio impianto non era un posto attraverso il quale si potesse correre di notte. Così tornai sui miei passi e spinsi irosamente la porta, facendo sferragliare la catena.

«Chi c'è là dentro?» intimai col mio tono da preside. La mia voce suonò irreale nel silenzio ventoso. «Che sta succedendo? Aprite la porta!»

«Howard, ti amo. Howard!»

«Che state facendo al mio gatto? Finitela immediatamente con queste idiozie, o chiamerò la polizia!»

Udii qualcosa che sembrava un sospiro per la mia stupidità, ma poteva benissimo essere il vento. Poi ancora la voce: «Howard, aiutami. Portami dei vestiti. Ho tanto freddo!»

«Lascia andare il mio gatto, o torno con la polizia.»

«Howard...» scongiurò la voce, amorevole e struggente.

Corsi giù per le scale, tanto furioso quanto terrorizzato. A prudente distanza, mi fermai a fissare la finestra del casello. Non potevo escludere che fosse un effetto ottico, ma negli ingannevoli giochi di luce creati dalla luna che appariva e scompariva tra le nuvole sospinte dal vento, riflettendosi sui vetri, avrei giurato di avere intravisto una figura alta camminare tra le leve della cabina di segnalazione.

«Lasciate andare il mio gatto,» sbraitai, «o ve la vedrete con la polizia!»

Silenzio. Risalii di corsa le scale, quasi singhiozzando, e presi a calci la porta, tentando di buttarla giù. Qualcosa mi guizzò tra i piedi, e Rama fu in un lampo giù per le scale e oltre i binari, correndo verso casa.

Bene, avevo salvato la mia amica, ed era solo questo che contava. La seguii di buon passo, e non fui mai tanto felice di varcare la porta di casa. Accesi tutte le luci, poi mi preparai un punch bollente e mi sedetti a sorseggiarlo finché non smisi di tremare. Stavo ancora tremando e bevendo quando lo sportello per i gatti sbatté (non senza contraccolpi sui miei nervi scossi) e Rama entrò con aria indifferente, andando a piazzarsi sul tavolo a lavarsi tra le zampe posteriori. Mi rivolse un paio di occhiate severe, come per dire: «Che c'è da agitarsi tanto?» Poi fece notare che era ora di andare a letto.

Anche con lei accanto, ci misi parecchio a prendere sonno.

Il pomeriggio seguente, dopo la scuola andai direttamente al casello ferroviario, per ispezionarlo agli ultimi tenui bagliori del sole di dicembre. Solidi muri di mattoni, e per tetto una lastra di cemento. Molti vetri rotti, ma l'intelaiatura di legno a riquadri delle finestre era intatta. Niente di più grosso di un gatto sarebbe riuscito a intrufolarvisi attraverso. L'unico accesso era la porta in cima alle scale. Ridendo delle mie sciocche fantasie del giorno prima, salii le scale e provai la resistenza della catena. Il lucchetto era robusto e arrugginito; ci sarebbe voluta un'ora di lavoro con un seghetto alternativo...

«Howard?»

Mi fece ancora più effetto alla luce del giorno. Dio, come ne fui scioccato. I fari accesi delle macchine che passavano sulla distante strada statale, al di là del raccordo, proiettavano pozze di concretezza, ma mi ricordavano anche che si stava facendo di nuovo buio...

«Howard, ti prego. Ho bisogno di vestiti. Ho così freddo...»

«Chi sei? Come fai a conoscere il mio nome?»

«Howard, portami dei vestiti... Ho bisogno di vestiti.»

«Come sei entrata là dentro? E perché dovrei portarti dei vestiti?»

«Perché sono nuda, Howard. Guarda!»

Accostai un occhio alla fessura tra la porta e lo stipite. Vidi le tavole di legno grezzo del pavimento, leve arrugginite che sporgevano a varie angolazioni, vetri rotti.

Poi un occhio emerse dall'oscurità, proprio di fronte al mio. Un occhio che mi era familiare, eppure non riuscivo ad abbinare a nessuno di mia conoscenza.

«Se non mi porti qualcosa da mettermi addosso, verrò da te nuda, Howard.»

Corsi senza fermarmi fino alla mia macchina.

Fui tentato di dormire da qualche altra parte, quella notte. Ma nella nostra cittadina, quando un preside comincia a stare in albergo...

Chiusi la porta e misi il fermo alle finestre. Tirai le tende. Mi dissi di essere razionale. Ma è meno facile essere razionali quando si fa buio, specialmente se si è da soli. Il vento è nemico del buon senso, e i rampicanti che bussavano ai vetri, e la faccia idiota di plastica nel giardino sul retro...

Mia moglie telefonò, piena di buone notizie su mamma e bambino. Per una volta, ne fui infastidito. La sua allegria era irritante, come un moscone che ronzasse contro una finestra. Mi sbarazzai di lei più in fretta possibile, preparai la cena, anche se era un po' presto, e quasi non toccai cibo. Alla fine svuotai il piatto nelle ciotole dei gatti.

Solo allora mi resi conto che non c'era un gatto in cucina. Strano! Se hai cinque gatti, ce n'è sempre almeno un paio che staziona lì attorno, con le orecchie tese, pronte a intercettare il rumore di una forchetta che gratta su un piatto.

All'improvviso mi sentii immensamente solo. Imprecai contro le mie gatte e la loro ingratitudine. Poi mi feci forza e aprii la porta sul retro per chiamarle.

Il vento portò via la mia voce; nessuna di loro rispose al richiamo. I cespugli sembravano guar-

darmi scuotendo la testa. Le foglie morte correvano per il cortile come una folla intrappolata in
un teatro in fiamme. Il fruscio delle foglie morte è
il suono più funereo del mondo; tetro quanto una
notte a Pompei.

In uno scatto d'ira, uscii per strappare la bal-
lonzolante faccia idiota dal suo ramo. A metà strada persi la mia baldanza, tornai indietro di corsa e
mi chiusi in casa, tirando il catenaccio. Per un
momento la porta sbarrata escluse ogni rumore
esterno, e nel silenzio udii un gatto tossire, in quel
modo penoso in cui tossiscono quando si spiana-
no a terra con il collo allungato, come se stessero
morendo soffocati.

In un gatto, è un segno di paura. Il suono sembrava venire dalla porta socchiusa della lavanderia. Andai a vedere. La lavanderia sembrava
vuota. La disposizione di lavatrice e catino di plastica azzurra che mi ero preparato il giorno prima
sembrava sbeffeggiarmi. Stavo per spegnere la
luce, pensando che l'immaginazione mi stesse
giocando strani scherzi, quando il sommesso,
disperato tossicchiare ricominciò.

C'era uno spazio profondo, stretto e buio tra
l'armadietto e la parete. Vi infilai dentro una
mano e tastai un teso fagotto di pelo proprio in
fondo. Lo tirai fuori per la collottola. La gatta
recalcitrò, puntellandosi con gli artigli tanto ener-
gicamente da solcare il linoleum. Era Melly. Per un
secondo rimase immobile tra le mie braccia, gli

occhi serrati, le orecchie indietro. Poi schizzò via come un missile peloso, rifugiandosi di nuovo nell'angusto pertugio, rovesciando una sedia che le intralciava la strada, e io rimasi lì con la camicia strappata e le braccia sanguinanti.

Decisi di lasciarla in pace. So riconoscere il terrore, quando lo vedo. Forse aveva avuto una brutta avventura con una macchina... Il mattino dopo sarebbe stata di nuovo quella di sempre.

Mi stavo versando un whisky quando mi venne in mente che potevano esserci altre gatte nascoste in casa. Un'accurata ricerca rivelò le tre povere piccole rannicchiate una contro l'altra in un angolo del mio ripostiglio degli attrezzi in un ammasso di cieco terrore, incuranti dei bordi taglienti delle seghe e degli scalpelli su cui erano accucciate.

Non potevano aver rischiato tutte quante di essere investite. Qualcosa le terrorizzava. All'improvviso le porte sbarrate, le finestre bloccate e le tende tirate sembrarono una protezione piuttosto inconsistente. Avrei voluto che Rama fosse lì con me. Lei non si sarebbe lasciata spaventare tanto facilmente. La cercai perfino in soffitta, rabbrividendo agli spifferi d'aria, ma di Rama non c'era traccia.

Ebbi un assurdo desiderio di chiamare il sergente Watkinson. Ma che avrei potuto dirgli? Erano le undici passate, e il mondo se n'era andato a dormire: non avrebbe voluto saperne nulla dei miei problemi, almeno fino al mattino dopo. Arrangiarsi, Howard, arrangiarsi! Salii in camera di Peter a prendere il fucile. Di nuovo, l'odore acre delle cartucce mi ricordò giorni più felici. Chissà se erano ancora buone, dopo dieci anni? Anche se Dio solo sapeva a che cosa intendessi sparare quella notte. L'unica cosa certa era che io non avrei rinunciato a un occhio senza combattere.

Accesi un bel fuoco in soggiorno; spinsi dei mobili contro le finestre, nell'assurda idea di bloccare qualunque cosa che tentasse di entrare da lì. Poi mi versai un altro whisky, ma solo un dito, questa volta: avevo bisogno di restare lucido. Provai a mettere un disco di Bach, ma la musica copriva ogni altro suono, così mi affrettai a spegnere lo stereo. Infine mi sistemai in poltrona, con il fucile di traverso sulle ginocchia, la lanterna a portata di mano, nel caso fosse mancata la luce, e *Il Signore degli Anelli* appoggiato sopra il fucile. Ma il viaggio di Frodo, il mio passaggio preferito in tutta la letteratura, non mi fu di alcun conforto. Ero teso a cogliere ogni rumore, identificandone provenienza e natura. Un animale braccato nella sua tana: ma almeno un animale provvisto di denti.

Ma noi non siamo bravi come gli animali a stare all'erta. Forse fu il whisky, o il tepore del fuoco, fatto sta che cominciai ad assopirmi. Per due volte, il libro mi cadde dal grembo, facendomi svegliare di soprassalto. Una volta fu il crollo di un ciocco nel camino a riscuotermi. Un'altra volta l'orologio a pendolo nel corridoio che batteva l'una, suonandomi privo di significato quanto a un gatto.

Tuttavia, alla fine i miei sensi non mi tradirono. All'improvviso fui del tutto vigile, senza sapere che cosa mi avesse svegliato. Ma in qualche modo sapevo che era la volta buona. Ricordo di aver posato con cura il libro e il bicchiere di whisky accanto alla poltrona, dove non sarebbero stati d'impiccio, prima di imbracciare il fucile e puntarlo contro la porta bianca del soggiorno, senza dimenticare di togliere la sicura.

Sul retro della casa, la porticina dei gatti sbatté. Quale delle piccole si stava muovendo? Oppure Rama era tornata a casa? Nemmeno mi sfiorò l'idea di andare a vedere. Rimasi dov'ero, seduto sulla mia poltrona, stringendo il fucile con mani tutto sommato abbastanza ferme.

Non sentii passi avvicinarsi; solo lo scricchiolio delle assi di legno del corridoio sotto il peso di qualcosa certamente ben più grande di un gatto.

La maniglia della porta si mosse tre volte, come talvolta può scuoterla un gatto quando cerca di entrare. La terza volta cominciò a ruotare, piano piano, con incertezza, come se la creatura non fosse abituata ad aprire porte. Ebbi l'orribile tentazione di sparare attraverso la porta bianca, appena sopra la maniglia, sentire il tonfo di un corpo che cadeva pesantemente a terra e sapere di essere salvo. Uccidere la creatura in agguato là fuori senza doverla guardare. Ma io sono un uomo, non un animale.

La porta si schiuse di appena cinque centimetri, e attraverso quella fessura aperta sull'oscurità qualcosa mi stava scrutando. Sollevai un poco la canna del fucile, come per avvertire di non mettere alla prova la mia pazienza troppo a lungo.

«Howard?» Era la stessa voce che avevo sentito attraverso la porta del casello ferroviario.

Solo allora mi resi conto che avevo ancora sul naso gli occhiali da lettura, e ogni cosa a più di un metro di distanza mi appariva sfocata. Gli occhiali per vedere da lontano erano sul tavolino, ma per prenderli avrei dovuto togliere una mano dal fucile.

La porta si spalancò del tutto, e credetti di avere le allucinazioni.

Là in piedi nell'ombra, incorniciata dal vano della porta, c'era la signora Raven, la nostra domestica a ore, nel solito camice di nylon a scacchi che indossava per fare le pulizie.

«Signora Raven?» farfugliai, attonito. «Che ci fa lei qui?» Per quanto possa essere ridicolo, ricordo di aver pensato che era lunedì notte, o meglio, martedì mattina: e la signora Raven veniva il giovedì. Poi la creatura emerse dall'ombra, e anche con gli occhiali da lettura mi accorsi che non stavo parlando con la signora Raven, ma con qualcuno che si era infilato il suo camice: era sempre appeso alla porta sul retro, sopra lo sportello per i gatti.

Al posto del fazzoletto che solitamente nascondeva i bigodini della signora Raven, sfolgorava una criniera di capelli rosso fuoco. E al posto dei due stecchini coperti da grinzose calze grigie... santo cielo, il grembiule che infagottava la signora Raven come un grosso sacco era a malapena un miniabito per quella creatura.

La vidi avanzare con grazia sinuosa, colmando la stanza con la sua presenza. Sarebbe venuta dritta da me, ma io alzai minacciosamente la canna del fucile.

Questo la fermò. Qualunque cosa fosse, sapeva a che cosa servisse un'arma da fuoco.

Andò a raggomitolarsi flessuosa sulla poltrona di mia moglie: senza ombra di pudore umano, così che fui grato di avere gli occhiali da lettura. Tutti i peli del suo corpo sembravano dello stesso rosso fiammeggiante. Faceva apparire piccola la poltrona di mia moglie; faceva apparire piccola l'intera stanza: e non era una stanza piccola. Considerai di nuovo la possibilità di cambiarmi gli occhiali, ma se le avessi tolto lo sguardo di dosso avrebbe attraversato in un lampo il tappeto steso fra le due poltrone ai lati del focolare.

«Howard?»

La sbirciai, ed ebbi un'indistinta impressione di grandi occhi verdi e, quando sbadigliò, denti bianchissimi. Il suo sbadiglio denotava la stessa assoluta impudicizia di tutto il suo atteggiamento: semplicemente, spalancò le mascelle al massimo della loro estensione, con voluttà, senza curarsi di mettere una mano davanti alla bocca.

«Tu mi conosci, Howard.» Tentò di stiracchiarsi, ma il grembiule per lei era una penosa costrizione. Sollevò una mano, e il nylon si lacerò come fosse carta. Dal suono, potei immaginare le dimensioni delle sue unghie.

«Mi ricordi... la mia gatta Rama,» dissi, con una risatina forzata. Non volevo mostrarmi completamente soggiogato, e mi sembrava coraggioso ridere in faccia a un simile mostro.

«Io sono la tua gatta Rama.»

A quel punto mi parve ovvio che stavo dormendo. Era solo un sogno: uno di quei sogni che può fare un cinquantenne quando la moglie è via da troppo tempo. Ma un uomo deve comportarsi in sogno come farebbe nella realtà, altrimenti è un ipocrita. Così continuai a tenere il fucile puntato contro di lei.

«Se sei la mia gatta Rama, ti comporterai come la mia gatta Rama. Almeno finché sei in casa mia. Quello che fai fuori di qui sono affari tuoi.»

Mi svegliai di soprassalto al rumore della porticina dei gatti che sbatteva, ritrovandomi in una stanza fredda e vuota. Non c'era da stupirsi che la stanza fosse fredda: la corrente d'aria aveva dischiuso la porta di cinque centimetri...

Per il resto della notte non mi mossi dalla mia poltrona; riattizzai diverse volte il fuoco, e sonnecchiai fino alle luce del giorno. Certi sogni possono lasciarti un'impressione più profonda della realtà. Finalmente mi svegliai col brillante sole del mattino che striava di luce il tappeto scuro davanti al camino. Tirai indietro le tende, sentendomi un totale idiota, e con il collo alquanto indolenzito in ricordo della mia idiozia. Il libro, il fucile e il bicchiere da whisky non furono una vista gradita.

Feci un giro d'ispezione per la casa; tutte le porte e le finestre erano ben chiuse, com'era prevedibile. Quando entrai in cucina, le mie cinque gatte mi diedero il loro consueto buongiorno sonnacchioso, stiracchiandosi pigramente in attesa di una carezza. Dovetti dare una grattatina sulla testa di ciascuna a turno: Rama per prima, naturalmente. La fissai negli occhi, tentando di farle abbassare lo sguardo per prima, e fallii come al solito. A parte questo, sembrava un gatto del tutto normale. Provavo una certa riluttanza a toccarla, ma mi costrinsi a vincerla. Non sono il tipo di persona che se la prende con un gatto per i propri sogni ridicoli. Tuttavia, da quel giorno fra noi venne a crearsi una certa freddezza, una certa distanza.

Il grembiule della signora Raven era appeso al suo gancio sulla porta, come sempre. Però, quando lo esaminai, vidi che mancavano tutti i bottoni, e sembrava che fossero stati strappati con forza esagerata. Li trovai in una tasca. La cosa pareva un po' strana, ma del resto non avevo mai fatto caso alle condizioni del camice prima d'allora. Forse mia moglie o la signora Raven lo stavano stringendo, o allargando, o facendo qualche altra delle misteriose operazioni in cui le donne sembrano continuamente impegnate con gli indumenti. Di sicuro, non era irrimediabilmente rovinato. Niente che la signora Raven non potesse sistemare in dieci minuti. Mi riproposi di chiederle delucidazioni al riguardo, ma poi mi scappò di mente.

La vita continuò più o meno come prima, eccetto che Rama sembrava diventare sempre più grossa e lustra. E io sentivo una crescente riluttanza a raggiungere la mia famiglia in Scozia per Natale, lasciando la signora Raven e Rama alle reciproche tenere attenzioni.

Ma a Natale mancavano ancora dieci giorni, quando accadde. Stavo comprandomi qualcosa per cena in rosticceria, e sentii parlare del fattaccio: la notte prima una ragazza era stata trascinata nel vecchio impianto chimico e uccisa mentre tornava a casa da sola dopo una festa.

«Ho visto il giovane poliziotto che l'ha trovata,» disse la donna dietro il bancone, gli occhi sbarrati sull'orrore di una scena dipinta nella sua mente. «Ho dovuto dargli una tazza di tè, tanto era sconvolto. Ha vomitato in giro per tutto il bagno.

Diceva che era come se fosse stata massacrata da una bestia selvaggia...»

Rimasi lì impietrito, e per poco non lasciai cadere le tartine di sfoglia ripiena di carne che avevo in mano. Ricordo che c'era un tizio che aspettava di essere servito: un giovane uomo di bassa statura con un giubbotto di pelle nera. Doveva essere un operaio di qualche genere, perché aveva in mano una borsa di arnesi dalla quale sporgevano il manico di un martello e la punta di un cacciavite. Continuava a fissare prima la donna e poi me, studiando attentamente le nostre facce, e io pensai che sapeva qualcosa, sapeva di me e di Rama. Non stetti ad ascoltare altro; ero impaziente di andarmene finché la mia reputazione era ancora salva.

Quando arrivai a casa, di Rama non c'era neanche l'ombra. Mentre stavo seduto nella cucina fredda a fissare con sguardo vacuo le pagine di un vecchio supplemento a colori, sentii suonare il campanello. Era il sergente Watkinson. Facendolo entrare, non potei fare a meno di lanciare un'occhiata ansiosa alla poltrona preferita di Rama, e lui non se la lasciò sfuggire.

«Qualche assenza ingiustificata?» indagò, sornione.

«No, no,» mi affrettai ad assicurare. Feci ostentatamente l'appello delle quattro gatte restanti. «Tutte presenti.»

«Quell'altra non si è più fatta viva, allora?»

Scossi la testa. Tanto, non avrebbe creduto a una parola di quel che avrei potuto dirgli. E comunque, era una questione tra me e Rama.

Mi domandò se non avessi sentito niente la notte prima. Abitando nella casa più vicina al vecchio impianto... Scossi la testa con convinzione. Non avevo veramente sentito nulla. Chiesi delle ferite della ragazza, e stavolta fu lui a scuotere la testa: non poteva dare informazioni relative all'indagine in corso.

Quando se ne fu andato, salii in camera di Peter e presi il fucile.

La settimana successiva fu un inferno. Il fucile era sempre pronto, ma Rama non si fece vedere. Le altre gatte cominciarono a mangiare il suo cibo e a dormire sulla sua poltrona. Non so nemmeno io come feci a trascinarmi attraverso le mie giornate a scuola. E la sera bevevo. Mia moglie si accorse del mio turbamento anche per telefono, e minacciò di tornare a casa, ma in qualche modo riuscii a dissuaderla.

Poi, la notte prima della fine del trimestre, alzai gli occhi a guardare dalla finestra (non mi preoccupavo più di tirare le tende) e vidi il grosso muso di Rama sbirciarmi. Non ero spaventato; la mia sola paura era che svanisse come un fantasma prima che io avessi il tempo di prendere il fucile.

Ma quando tornai era ancora lì a guardare dentro. Aveva un'espressione calma e triste... quasi amorevole, avrei detto. Armeggiai con la sicura, alzai il fucile per spararle attraverso il vetro, e lei immediatamente scomparve alla mia vista.

Corsi fuori nella notte limpida. Lei era sopra il cancello del cortile, inargentata dalla luna. Alzai il fucile, e lei di nuovo si dileguò.

Le corsi appresso come un pazzo, in maniche di camicia. La vidi sfrecciare lungo i pendii erbosi verso il vecchio impianto, molto più avanti, un bersaglio troppo difficile al chiaro di luna. Continuai a inseguirla, ma ora senza speranza. Una volta nell'impianto, mi avrebbe seminato con facilità; poteva essere accovacciata su una trave proprio sopra la mia testa, e io non me ne sarei accorto.

Ma quando raggiunsi l'impianto lei era ben visibile, una forma pallida che trotterellava lungo il condotto principale della soda. Cominciai a sospettare che stesse giocando con me, come se fossi un topo. Verso che cosa mi stava portando? La sua morte? La mia? Non mi importava più. Il mio respiro affannato di uomo di mezza età mi raspava nella gola, fetido di whisky e disperazione.

Mezz'ora dopo, sul declivio del bosco di Brinkton, ebbi la certezza che si stava facendo seguire deliberatamente. Lasciava che mi avvicinassi sempre di più, ma era sempre in movimento, senza mai darmi l'opportunità di centrarla a colpo sicuro.

Poi, nel folto degli alberi, fece perdere le sue tracce. Mi sedetti su un tronco caduto, sudato e ansimante, desiderando di essere morto. Il bosco di Brinkton è per gli innamorati, non per gatti e pazzoidi di mezza età. Mi sentivo troppo esausto per farmi le due miglia di strada fino a casa. Perché Rama mi aveva fatto questo? Non m'importava se mi avesse ucciso...

Ma allora, perché balzai in piedi terrorizzato all'improvviso suono di rami spezzati tra i cespugli lì attorno? Non sembrava Rama, ad ogni modo. Il movimento era troppo rumoroso e disordinato.

Poi una ragazza strillò.

Un suono orribile; un tonfo su carne. Poi il grido si ruppe in singhiozzi disperati, increduli.

«Oh, no, oh, no, ti prego, no, no...»

Un altro rumore raccapricciante, e solo allora nella mia ottusità si incuneò il pensiero che la ragazza potesse essere in pericolo di vita. Non avevo mai sentito il suono di un assassinio prima di allora. Non è come ci si aspetterebbe. Niente a che vedere con il sonoro dei film.

Tolsi la sicura al fucile e mi misi a correre. Oh, Rama!

Eruppi dai cespugli in una piccola radura rischiarata dalla luna. Una ragazza era riversa a terra sulla schiena, la gonna alzata intorno alla vita, le gambe pallide e seriche che scalciavano furiosamente mentre qualcosa di scuro si chinava con agghiacciante intenzionalità sulla sua testa e il suo collo.

Mentre alzavo il fucile, incerto se arrischiare un

colpo o piuttosto avventarmi sull'aggressore usandolo come un randello, la ragazza diede un'ultima, disperata spinta con le braccia insanguinate, e per un istante la forma scura rimase sospesa sopra di lei, abbastanza staccata...

Sparai al centro della cassa toracica. Nessun animale è ancora in grado di nuocere seriamente dopo che gli hai sparato in piena cassa toracica, anche se manchi il cuore.

Ero troppo vicino per sbagliare il colpo, anche nella luce fioca della luna. La bestia cadde di fianco, respinta dalle braccia tese della ragazza, e giacque a terra immobile.

«Addio, Rama,» mormorai con amarezza, avvicinandomi. La ragazza non doveva essere ferita troppo gravemente. Era balzata in piedi e aveva ricominciato a urlare a squarciagola. Forse pensava che io fossi un secondo assassino.

La bestia era rotolata nell'ombra di un cespuglio. Le diedi un colpetto col piede, ancora tenendola sotto il tiro del fucile.

Era un uomo.

Un uomo piccolo e bruno con un giubbotto di pelle nera. Accanto a lui c'era una sacca di attrezzi: martello e cacciavite. Era certamente morto. Una chiazza scura, umida e calda si allungava in corrispondenza del suo cuore.

La sensazione di essere osservato mi fece alzare lo sguardo. Da dietro il cespuglio sporgeva una testa con grandi occhi scuri colmi di dolore e una

criniera di capelli che riusciva ad apparire fiammeggiante anche nella luce fredda della luna.

Rama alzò una mano. «Addio, Howard.» La sua
voce traboccava di tristezza, desiderio struggente,
e disprezzo.

Un istante dopo se n'era andata per sempre.

Golia

Quando avevo dieci anni, andammo a vivere nella fabbrica di torte della contessa Sikorski. Non avevamo altra scelta. Eravamo poveri; mio padre era un artista, ma a quei tempi nessuno apprezzava i suoi quadri. Era mia madre a mantenerci. Faceva la ceramista, e amava creare vasi alti e bellissimi, ma non ne aveva mai l'opportunità. Invece, era costretta a fare piccoli portacenere a cinque sterline la dozzina, decorati con minuscoli uccelli e la scritta "Un ricordo da Bridport." Mi sembra ancora di vederla alzare la schiena dalle lunghe file di portacenere, passandosi le mani sulle reni per alleviare il dolore e fissando davanti a sé con sguardo vacuo. Pensando che nella vita doveva pur esserci qualcosa di più dei portacenere. Ma amava mio padre, e così andava avanti.

Badate, per essere una fabbrica di torte, la nostra non era poi male. Non immaginatevi alte ciminiere fumanti e miglia di corridoi di cemento. Noi vivevamo nel grazioso villaggio di Appledown, e la fabbrica in realtà era un laboratorio artigianale installato in una casa georgiana a doppia facciata, decorosa anche se un tantino lasciata andare. Davanti c'era un cortile pavimentato a ciottoli, e ai lati del cortile sorgevano delle costruzioni: una rimessa e le stalle. Nelle vecchie stalle, mia madre faceva i suoi portacenere, mentre di sopra, nel fienile, mio padre dipingeva. E dall'altra parte del cortile, nella vecchia rimessa, la contessa Sikorski faceva le sue famose torte salate. Aveva attrezzato il capannone con una lunga fila di cucine a gas, alcune delle quali dovevano risalire ai tempi della regina Vittoria, se non di Boadicea. Faceva venire le donne del villaggio ad aiutarla, e alla fine della mattinata, quando l'enorme tavola al centro del locale era carica di torte di ogni dimensione, si mettevano tutte sulla soglia della rimessa a farsi aria e asciugarsi il sudore dalle facce rosse con i grembiuli che si erano tolte.

La contessa Sirkoski avrebbe dovuto essere popolare; portava lavoro nel villaggio, e faceva torte meravigliose, rinomate in tutta la contea: ancora oggi, dopo quarant'anni, per lodare la bontà di qualcosa i vecchi dicono "quasi come una torta della contessa." Nella sua incessante ricerca di carne per il ripieno, era in combutta con ogni fattore disonesto, bracconiere o macellaio clandestino nel raggio di miglia, ma non era mai stata arrestata per i suoi traffici illeciti. La gente diceva che lo stesso capo della polizia era troppo ghiotto delle sue torte per intervenire.

Ma lei non riusciva a dimenticare di essere stata una contessa, nella sua amata Polonia, prima della guerra, e non permetteva che lo dimenticassero nemmeno gli altri. Suo marito, il conte Sikorski, che era stato un colonnello nella cavalleria polacca nel 1939, e poi un semplice luogotenente della Libera Armata polacca nel 1945, non faceva mai alcun accenno al suo passato. Lei lo aveva praticamente retrocesso al rango di semplice borghese, e adesso guidava il furgone per la consegna delle torte, oltre a raccogliere scommesse illegali per gli allibratori clandestini. Spesso veniva arrestato per questa sua attività secondaria, ma quando si presentava davanti al giudice con il suo sorriso timido, la sua calvizie avanzata e i suoi riconoscimenti di guerra riusciva sempre a cavarsela con una piccola multa. I veri guai li passava dopo, al suo ritorno a casa: ogni volta era una lite furiosa, e la contessa gli tirava appresso piatti e vecchie scarpe, strepitando che stava trascinando nel fango l'onore della Polonia. A volte andavano avanti così per tutta la notte. Alla lunga cominciai ad averne abbastanza dell'onore della Polonia; però i tonfi e gli schianti continuavano a divertirmi.

La cosa peggiore di abitare nella nostra metà della fabbrica di torte era l'imbarazzo. Per non rischiare di lasciarsi scappare un solo possibile cliente, la contessa aveva piazzato all'entrata un enorme cartello scritto a lettere cubitali:

TORTE FRESCHE IN VENDITA.
RIVOLGERSI ALL'INTERNO.
PROPRIETÀ DELLA CONTESSA SIKORSKI.

La gente si fermava a guardare, in quei giorni di fame del 1946, e il favoloso profumo delle torte faceva il resto. Ma a scuola gli altri ragazzi mi prendevano in giro. Dicevano che la contessa metteva di tutto nelle sue torte: lumache, vipere, agnelli morti e corvi: e che avrei fatto meglio a stare attento al nostro gattone rosso, se non volevo svegliarmi un mattino e non trovarlo più. Era inutile che protestassi, affermando che non era così, che lei voleva bene al nostro gatto, e gli dava sempre dei bei bocconcini. Loro replicavano che lo stava semplicemente ingrassando...

Per me, la contessa era come un mostro delle favole. Alta più di un metro e ottanta, imponente come una statua, con un grande naso e capelli corvini raccolti in una crocchia. Mi allungava sempre una delle torte più piccole, ancora calda, dicendo che ero troppo piccolo e magro per la mia età, e se non l'avessi mangiata in fretta sarei morto di fame, come tanti poveri bambini in Polonia. Lei non aveva figli, o quantomeno non ne parlava mai.

Ma in cambio della torta, mi toccava sorbirmi per ore le sue lamentele: raccontava di come fosse stata imbrogliata da cacciatori di frodo disonesti (non ho mai osato chiederle come potesse

essere un cacciatore di frodo onesto), fattori truf-
faldini e proprietari di ristoranti che non le paga-
vano il dovuto. «Ai miei tempi, in Polonia,» diceva,
«quel farabutto avrei potuto farlo frustare, o anche
uccidere... così!» E tendeva la manona verso il
mio naso, schioccando due grosse dita infarinate.
Comunque, io mi sottoponevo di buon grado al
supplizio. Ritenevo che fosse mio dovere filiale,
perché altrimenti avrebbe attraversato il cortile
per andare a importunare mia madre, la quale
sarebbe stata ad ascoltarla con un sorriso assen-
te, pensando alle file di portacenere rimasti a
metà. (Mio padre, saggiamente, stava sempre rin-
tanato nel fienile a dipingere.)

Ma tutto sommato, suppongo che la contessa
fosse un mostro abbastanza inoffensivo. Il vero
orco della mia infanzia fu un altro: il capitano
Cholmondely-Bottomley, capocaccia locale. Ora, i
ragazzi a scuola prendevano in giro anche lui.
Ispirandosi liberamente al suo nome, lo avevano
ribattezzato "Culotondo Re-del-Mondo", e al grido
di "Arriva Culotondo" galoppavano per il cortile
della scuola, col sedere in fuori, imitando il suo
modo di cavalcare. Tutti ridevano a crepapelle.

Ma per quanto Culotondo potesse essere lo
zimbello della scuola, fuori di lì non faceva affatto
ridere, almeno per quel che mi riguardava. Infatti,
avevo un sacrosanto terrore di tutto ciò che avesse attinenza con la caccia alla volpe. A cominciare dai cani. Li incontrai proprio il mio primo gior-

no a Appledown. Mio padre mi aveva mandato a prendere una pinta di latte alla fattoria di Higgins, e mi imbattei nei segugi mentre venivano portati a sgranchirsi le zampe, in una stradina stretta. Il bracchiere doveva essere poco più indietro, ma io non riuscivo a vederlo. Tutto ciò che vidi fu questa spaventosa orda di grossi cani bianchi, neri e marroni che correvano verso di me: invadendo il sentiero ombreggiato dagli alberi, superando ogni ostacolo, facendo scomparire ogni altra cosa. Le lingue penzoloni, i grandi denti in mostra, e tutti esattamente uguali. Tutti intenti a fiutare l'odore di una possibile preda con la stessa espressione famelica, come se fossero pronti a sbranare qualunque cosa si trovassero davanti. Davano l'orribile sensazione di non avere menti distinte come normali cani, ma centinaia di corpi e una sola mente tra tutti.

Non mi fecero alcun male: si limitarono ad annusarmi e leccarmi. Ma quando finalmente apparve il loro custode, io stavo urlando a perdifiato.

Il bracchiere, Toddy Tyndale, fu molto gentile con me. Mi accompagnò a casa e spiegò l'accaduto ai miei genitori. In seguito, passò a prendermi per portarmi a visitare il canile, e mi fece assistere al pasto dei segugi. Ma questo di certo non servì a farmi amare di più i cani da caccia. Mentre mangiavano si facevano la pipì addosso l'uno con l'altro; ed ero ancora convinto che avessero un'unica, spaventevole mente a governare tutti i loro corpi.

Mio padre non mi fu di aiuto. Lui era l'uomo più gentile sulla faccia della terra. Un quacchero da sempre, un pacifista che aveva prestato servizio nell'unità di pronto soccorso dei quaccheri in Finlandia durante la guerra. Un uomo che non avrebbe fatto male a una mosca, letteralmente: era capace di alzarsi dal suo cavalletto e passare mezz'ora a cercare di acchiappare una vespa che ronzava contro la finestra per poterle ridare la libertà. Ma un mattino d'inverno eravamo fuori a fare una passeggiata quando ci trovammo avvolti da un banco di nebbia, e in quel grigiore irreale echeggiò il suono lugubre del corno da caccia. Poco dopo arrivarono i cacciatori, sbucando dalla densa foschia coi loro cavalli lanciati al galoppo e la muta di cani. Una scena che pareva uscita da un incubo.

Mio padre serrò i pugni e disse, quasi tra sé: «Ma chi credono di essere? Capisco come devono essersi sentiti gli arcieri di Crecy.» Non gli chiesi che storia fosse quella degli arcieri di Crecy; la sua faccia era troppo pallida e tirata. Ma lo chiesi al mio maestro a scuola, e lui mi spiegò che Crecy fu una sanguinosa battaglia in cui gli arcieri inglesi massacrarono i cavalleggeri francesi, sterminando uomini e cavalli finché sul campo rimase un ammasso di corpi alto un metro e mezzo.

E ogni volta che il corno risuonava in un gelido

mattino d'inverno, mio padre correva di sotto gridando: «Dov'è il gatto? Dov'è il gatto?» Era il panico generale, finché il gatto veniva scovato e rinchiuso nel fienile, dove mio padre poteva averlo sott'occhio. Infatti, diceva, i cani da caccia sbranano qualunque gatto incontrano, e il nostro era rosso, come una volpe...

Ma quello che mi impressionava di più era Culotondo in sé. Lo avevo incontrato un mattino mentre cavalcava alla testa del gruppo. Lui puntò il suo frustino verso di me, e poi verso un cancello che voleva gli venisse aperto. Non disse una parola; solo quel gesto imperioso, stando ritto in sella al suo grande cavallo. E quando io ebbi aperto il cancello, silenzioso e terrorizzato, se ne andò al galoppo. Tutto qui. Ma la sua espressione rimase indelebile nella mia mente. I miei genitori mi avevano sempre guardato sorridendo, così come la maggior parte della gente. Però era capitato che dei ragazzi mi guardassero con odio, prima di una zuffa a scuola. Ebbene, quell'odio non era niente, in confronto all'espressione di Culotondo. Aveva lineamenti affilati, e i suoi occhi erano ravvicinati, e dell'azzurro più freddo che io abbia mai visto. Il suo sguardo sembrava trapassarmi, come se io fossi degno di nota quanto un paletto dello steccato, o meno ancora.

Mia madre diceva che probabilmente la caccia era un male necessario, perché le volpi si sarebbero mangiate tutte le galline, se non fossero state tenute in qualche modo sotto controllo. Certamente di volpi ce n'erano parecchie nei dintorni. E spesso e volentieri gironzolavano intorno al nostro cortile, attirate dai bidoni dei rifiuti della contessa, dove finiva tutto quello che non andava nelle torte.

Ma anche il nostro gatto la sapeva lunga sui bidoni della spazzatura. Quando arrivò alla fabbrica di torte, era grande, ma molto scarno, e noi lo chiamavamo semplicemente "il gatto". Stando lì, non ci mise molto a irrobustirsi, e presto iniziò a contendere i bidoni alle volpi. Fu proprio in una di quelle battaglie che si guadagnò il suo nome.

Ora, ci sono opinioni discordi su gatti e volpi. Molti sostengono che le volpi uccidono e mangiano qualsiasi gatto. E in effetti, Toddy Tyndale mi ha detto che nelle tane sotterranee delle volpi si trovano spesso scheletri di gatti. Ma secondo me bisogna fare delle distinzioni. Ci sono micetti inesperti, e le volpi li catturano. Ci sono gatti vecchi, o malati, o mezzi morti di fame, e le volpi li catturano. Ma un gatto adulto, e nel pieno delle forze? Questa è tutta un'altra faccenda, ve lo assicuro. Lo so, perché l'ho visto con i miei occhi.

Le volpi sono più piccole di quanto non creda la maggior parte della gente. Non sono grossi cani selvatici. Non sono molto più grandi di un gatto adulto, e cacciano e saltano come gatti, e vivono di topi e ratti proprio come i gatti. Perfino si muovono come gatti, e sbattono le orecchie come fanno i gatti. Sono un po' come gatti con il muso allungato. E quando un gatto e una volpe si incontrano, si sfidano e cercano di intimidirsi a vicenda, proprio come farebbero due gatti.

E in genere, nelle contese per i nostri bidoni, erano le volpi a farsi da parte, ritirandosi a rispettosa distanza ad aspettare che il nostro gatto si fosse servito. (Di solito dopo che la volpe si era presa la briga di buttare giù il coperchio, oltretutto.)

Ma non quella sera. Il nostro gatto stava giusto finendo di pasteggiare con gli scarti di carne trovati nei bidoni, quando questa volpe salta fuori come un fulmine da dietro il muro e gli si avventa contro. Era una grossa volpe, e si capiva che aveva tutte le intenzioni di uccidere e mangiare il nostro gatto. Io ero alla finestra a guardare, così inorridito che non riuscivo a muovermi, né a gridare. Ma tutto accadde come al rallentatore, così ricordo ogni particolare della scena.

Il nostro gatto si accorse appena in tempo del pericolo. Si volse per scappare, e questo gli sarebbe stato fatale. La volpe lo avrebbe azzannato al collo, e per lui sarebbe stata la fine. Ma il gatto sembrò rendersene conto. Cambiò immediatamente idea, e in un guizzo si infilò tra due bidoni, rivolto verso l'esterno. La volpe fece per seguirlo, e dallo spazio fra i due bidoni scattò fuori una zampa fulva con gli artigli sguainati. Colpì la volpe sulla tenera punta del naso, proprio come Jack Kramer avrebbe colpito una palla da tennis a Wimbledon. Quattro volte, veloce come la luce.

La volpe rinunciò alla sua preda e batté rapidamente in ritirata. Quando si volse a guardare attorno, vidi che aveva il muso insanguinato.

Ma era un volpone coriaceo, non avvezzo a essere battuto. Tornò alla carica. Stavolta spiccò un balzo in aria, tentando di piombare sul dorso del nostro gatto.

Un attimo prima che atterrasse, però, il gatto si era rovesciato sulla schiena, e mulinava in aria tutt'e quattro le zampe, con le micidiali unghie sfoderate. Nella posizione in cui si trovava, il volpone lasciava esposta una parte molto vulnerabile. Si affrettò a mettersi in salvo, mentre ciuffi di pelo fulvo svolazzavano sui ciottoli nell'ultima luce del tramonto, come rosse foglie autunnali.

A un paio di metri si fermò, e lui e il nostro gatto si scambiarono alcuni epiteti irripetibili. Poi se ne andò, esasperato.

Be', il nostro gatto lo rincorse. Lo assalì alle spalle, aggrappandoglisi sulla schiena con tutti i suoi artigli...

Quella prodezza avrebbe certamente potuto costargli la pelle, lì allo scoperto. Per quella che sembrò un'eternità, ci fu una terribile mischia in cui non si riusciva a distinguere il rosso del gatto da quello della volpe. Poi, all'improvviso, i due si divisero e se ne andarono uno da una parte e uno dall'altra, come se avessero concordato di fare pari e patta. Entrambi zoppicavano vistosamente.

Corsi fuori e presi in braccio il gatto. Sanguinava in una mezza dozzina di punti (ma lo stesso valeva per la volpe). Poi udii una voce gridare: «È un eroe! È come la cavalleria polacca che carica i carri armati nazisti alle porte di Varsavia, con solo lo stendardo della Vergine a proteggerla! È un vero gatto polacco!»

Alzai lo sguardo e vidi la contessa che sorrideva raggiante sia a me che al gatto, i grandi occhi scuri accesi dalla febbre profana della battaglia.

«È un eroe,» ribadì. «Dovremmo chiamarlo Golia.»

Me ne restai lì, tremante. Golia non era certamente un gatto quacchero, pensai. Aveva visto arrivare la morte, e non aveva porto l'altra guancia. Invece aveva tirato fuori gli artigli, e ne era uscito un po' malconcio, ma ancora vivo per raccontare la sua avventura.

Se avesse porto l'altra guancia, a quell'ora sarebbe stato nella dispensa della volpe, in qualche buco sotto terra.

Sembrava una lezione che valeva la pena di ricordare. Ma quando i miei genitori uscirono pieni di amorevole sollecitudine, e presero Golia per portarlo dal veterinario, sebbene non potessero proprio permettersi la spesa, non mi riuscì di guardarli negli occhi.

Il loro modo quacchero era sbagliato. Al loro modo quacchero, Golia sarebbe morto.

Al modo di Golia, il modo della contessa, Golia era vivo.

Andai a letto con un gran guazzabuglio in testa. Ma Golia guarì, e divenne il vero re dei bidoni dei rifiuti, assoluto e incontrastato. La vecchia volpe non si fece mai più vedere. Mi chiesi spesso come se la fosse cavata lei, senza alcun veterinario a prendersene cura.

Ricordo che era una mattinata di sole, verso l'ora di pranzo, quando sentimmo il corno da caccia nei campi, non molto lontano da noi. Mio padre era sceso in cortile a giocare con me, perché aveva appena venduto due quadri e ne aveva terminato un altro, così era soddisfatto di sé e pensava che per una volta poteva concedersi un po' di svago. Stavamo facendo un gioco di nostra invenzione, con una palla da tennis e una mazza da baseball dimenticata da qualche soldato americano quando lasciarono la nostra casa dopo la guerra. Mio padre mi lanciava la palla, e io dovevo ribatterla dove lui poteva prenderla. Se non riusciva a prenderla per tre volte di fila, avevo perso. È un gioco che si può fare soltanto tra persone che vanno molto d'accordo...

Doveva essere quasi mezzogiorno, perché la contessa aveva finito l'infornata del mattino, e l'aria era colma della fragranza deliziosa delle torte, e le donne del villaggio stavano sulla soglia del capannone a guardarci oziosamente, sventolandosi con i loro grembiuli da cucina.

Il suono del corno si fece più vicino.

Mio padre disse: «Dov'è Golia?» Era diventato bianco come un lenzuolo. Corremmo per il cortile, chiamandolo, cercandolo, ma di lui non c'era traccia. Le donne del villaggio cominciarono a unirsi a noi nelle ricerche; anche loro sapevano che cosa significava il corno, ed erano tutte affezionate a Golia. Ma non ebbero maggiore fortuna di noi.

Il suono del corno continuava ad avvicinarsi, mentre noi stavamo tutti lì in silenzio, trepidanti e impotenti.

«Sono vicinissimi al villaggio,» osservò una delle donne. «Di solito non vengono così vicino.»

Di nuovo il corno, ormai in fondo alla strada che entrava in paese. Poi il baccano dei cani, quell'orribile, folle rumore che significa morte per qualsiasi creatura vivente si trovi alla loro mercé.

E alla fine apparvero, inondando la stretta strada, con un animaletto rossiccio che correva come un disperato davanti a loro.

«Quella non è una volpe,» disse una delle donne. «È di un rosso diverso...»

Impietriti, guardammo Golia precipitarsi verso casa con la morte alle calcagna. Il suo orgoglio era svanito, insieme alla sua elegante bellezza. Scappava a gambe levate, la testa e la coda raso-terra, accecato dal terrore.

Ma in qualche modo riuscì a guadagnare il cancello, mi sfrecciò fra le gambe, e si tuffò a capofitto nell'angolo tra la casa e la rimessa, accasciandosi in un ansimante fagotto di pelo.

E poi i cani da caccia si riversarono nel cortile.

Non ebbi il tempo di pensare. Mi ritrovai lì nel-
l'angolo, davanti al povero, esausto Golia. E avevo
ancora in mano la mazza da baseball. E i musi dei
cani, le fauci spalancate...

Roteai la mazza, sferrando un colpo, e un altro
e un altro ancora. E ogni volta il bastone si abbat-
teva sui cani. Sentii mio padre gridare, mia madre
e le donne strillare...

Qualcosa mi saltò sulla schiena, inerpicandosi
a forza di unghie fin sulla mia spalla. E di lì spiccò
un balzo, catapultandosi al di sopra delle teste dei
cani. Ricorderò finché vivo l'impeto di quel grande salto; la spinta per poco non mi mandò lungo
disteso.

Golia atterrò sui ciottoli ben oltre il branco. I
cani non fecero in tempo a girarsi verso di lui, che
già aveva spiccato un altro balzo, proiettandosi
attraverso la porta aperta della rimessa, dritto in
mezzo al tavolo pieno di torte fumanti.

Atterrò con precisione millimetrica nel minuscolo spazio tra due delle torte più grandi, senza
nemmeno sfiorarle. Poi saltò di nuovo, stavolta in
su, verso la grande e stretta trave che correva
attraverso il soffitto della rimessa. L'afferrò con le
zampe anteriori, e rimase lì a penzolare per un
lungo momento, lasciandoci tutti col fiato sospeso, finché un po' per volta riuscì a issarsi sulla
trave, come un uomo molto vecchio.

Poi, raccogliendo quel che restava della sua dignità, si girò, tenendo le quattro zampe unite, e lanciò una sdegnata invettiva contro il nemico, sfidandolo a raggiungerlo lassù.

Davanti a quella provocazione, la muta si scagliò compatta all'inseguimento, saltando sopra il tavolo. Fu una scena spettacolare, con le torte che volavano in ogni direzione.

L'unanimità d'azione dei cani si sfasciò miseramente. Alcuni si ostinavano a saltare verso la trave, sebbene fosse ormai evidente che era ben oltre la loro portata, col solo risultato di spappolare le torte sotto le loro zampe. Altri, affamati dopo una mattinata di caccia, si gettarono avidamente sulle migliori torte salate mai cucinate nella contea.

Arrivò Toddy Tyndale, ma non riuscì a fare niente per richiamare all'ordine la muta.

Arrivò Culotondo, e saltò giù da cavallo, imprecando e schioccando a destra e a manca il suo frustino.

Arrivò la contessa, constatò con un'occhiata lo sfacelo delle sue torte, e afferrò la grossa ramazza da cortile...

Per ultimo, arrivò Tom Tree. Era da tanti anni il saggio poliziotto del paese, ma la situazione era troppo difficile perfino per lui.

È da notare che i cani, ormai esausti e satolli di torte, avevano perso ogni interesse per l'inseguimento. Si lasciarono scacciare in strada dalle donne, al grido di "Fuori di qui, brutti sudicioni", dal momento che lasciavano impronte dappertutto con le loro zampe impiastricciate.

Toddy Tyndale cominciò a rimettere i cani al guinzaglio per riportarli al canile, ma l'operazione procedeva a rilento. Chissà perché, continuava a piegarsi in due contro il muro, con la schiena che sobbalzava in modo strano, e poi lanciava un'occhiata furtiva a Culotondo.

Ma Culotondo aveva abbastanza problemi per conto suo, dopo l'assalto a colpi di ramazza della contessa. Aveva perso il cap, la sua giacca rossa era inzaccherata di fango, essendo finito lungo disteso sui ciottoli, e sulla sua fronte stretta c'era un bernoccolo bluastro grosso come un mezzo uovo. Ma era comunque troppo un gentleman inglese per usare violenza a una donna, seppure per autodifesa.

Alla fine, fu Tom Tree a strappare la ramazza dalle mani della contessa.

«Perché mi ha preso la scopa? È mia. L'ho pagata! Forse in Inghilterra i poliziotti hanno il diritto di rubare le scope ai cittadini onesti? E questa sarebbe una libera democrazia? Che abbiamo combattuto a fare i nazi, se lei può venire qui e rubarmi la scopa?»

«Signora...» cominciò Tom Tree, cercando di blandirla, ma lei non lo lasciò parlare.

«Insisto perché lei arresti questo pazzo criminale!» tuonò, puntando un indice tremante contro Culotondo. «Uccide cuccioli inoffensivi! Sguinzaglia i suoi cani contro bambini innocenti! Mi ha rovinato torte per il valore complessivo di diciassette sterline, diciannove scellini e sei penny, al dettaglio!»

Come fosse riuscita a calcolare l'esatto prezzo mentre era impegnata a bastonare Culotondo, non lo saprò mai.

«Ai miei tempi,» aggiunse, «in Polonia, avrei fatto frustare quest'uomo, lo avrei fatto uccidere. Perché voi inglesi lasciate i vostri criminali liberi di distruggere le torte delle donne perbene?»

«Le risarcirò il danno,» disse rigidamente Culotondo.

«Bene,» la contessa gli mise la mano tesa davanti al naso, «dov'è il suo denaro?»

Naturalmente, Culotondo non aveva denaro con sé, nella sua divisa da caccia alla volpe. Né l'avevano gli altri cacciatori, che stavano guardando a prudente distanza dalla strada, in sella ai loro cavalli, quello spettacolo così poco inglese.

«Ma bene! Dice che pagherà, ma non ha denaro. Questa è frode! Arresti questo pazzo criminale per frode, agente. Insisto!»

Tom Tree poté solo scrollare la testa come un toro confuso. Dopotutto, Culotondo era presidente della magistratura locale...

«Be', allora vorrà dire che confischerò questo cavallo, finché il debito non sarà stato pagato.» La contessa fece per portarsi via il baio di Culotondo...

Purtroppo, a quel punto mia madre venne a prendermi e mi portò in casa. Solo allora mi resi conto che le mie braccia erano state morse e sanguinavano in tre punti. Mi lavò le ferite e mi mise a letto, poi mandò a chiamare il medico. Nel frattempo, io avevo preso a tremare come una foglia, e non riuscivo a stare fermo.

Ma poi Golia entrò con tutta calma, saltò sul mio letto e cominciò a lavarsi. Sembrava molto meno sconvolto di me. Dopo un'accurata pulizia, si acciambellò e si mise a dormire. Io restai ad ascoltare le voci che giungevano dal cortile. La contessa stava al cancello a raccontare a chiunque passasse dell'epica Battaglia della Fabbrica di Torte.

Sentii Toddy Tyndale arrivare con il denaro per le torte e portarsi via il cavallo. Sentii la contessa gridargli appresso: «Le consiglio di trovarsi un nuovo datore di lavoro. Io non lavorerei per un ladro di torte!»

Non udii la risposta di Toddy; era appena arrivato il medico, e mi fece due iniezioni piuttosto dolorose.

Ma il dolore delle punture non era niente in confronto a quello che vidi sulla faccia di mio padre, quando venne da me.

Si sedette sul mio letto e disse lentamente: «Hai rotto una zampa a un cane...» Ma quello era ancora il meno: la zampa del cane sarebbe guarita. Il fatto era che mi aveva visto ricorrere alla violenza. Non ebbe bisogno di dirlo; era tutto scritto sulla sua faccia. Restammo seduti in silenzio per un lungo momento. Infine sospirò: «La violenza non ha mai risolto niente, figliolo.»

Non sapevo che cosa rispondere.

Allungai una mano ad accarezzare la forma calda e morbida di Golia. Stava facendo le fusa.

Mio padre e io ci guardammo senza parlare. Era chiaro a entrambi: lui aveva scelto la sua strada, e io la mia.

Da allora, tra noi non fu più esattamente come prima.

Il gatto Spartan

Ero quasi felice, al funerale del nonno. Quella era la sua chiesa, capite? Dove raccoglieva le offerte e poi le contava nella sagrestia, e quando ero piccolo mi permetteva di aiutarlo. Dove suonava le campane e tagliava l'erba del piccolo cimitero.

Il suo amico vicario disse che brava persona fosse stata, sempre pronto a farsi in quattro per chiunque. E la chiesa era colma di fiori provenienti dai giardini del paese, i cui colori vivaci spiccavano contro la pietra grigia. A eccezione dell'orribile corona di gigli che i miei genitori avevano ordinato a un fiorista in città.

E poi, all'uscita dalla chiesa, l'intero villaggio doveva essere venuto a stringermi la mano, e tutti dicevano che brav'uomo fosse stato mio nonno.

E Spartan era stato lì per tutto il tempo. Era entrato in chiesa per ultimo, attraversando la navata con la solenne lentezza di un giudice, ed era rimasto seduto vicino alla bara fino al termine del servizio. E la gente del paese lo indicava con brevi cenni del capo e si scambiava sorrisi da funerale.

Dopo la messa, Spartan accompagnò la bara fino alla tomba, in un angolo soleggiato del cimitero, sul lato rivolto a sud. Era il posto che il nonno si era scelto, vicino al vecchio cipresso che era lì fin dai tempi di Cromwell. E quando la bara fu calata nella fossa, Spartan ci seguì con lo sguardo mentre ciascuno di noi vi gettava sopra una manciata di terra, in un silenzio così totale che si poteva sentire distintamente il mormorio dei granelli contro il legno.

Proprio non riuscivo a credere che il nonno fosse laggiù, in quell'orribile cassa scura e lucida, con le sue volgari maniglie di ottone scintillante. Non era rinchiuso là dentro; lui era ovunque, adesso. Guardava la sua chiesa e i suoi amici raccolti attorno alla sua tomba, gli alberi illuminati dal sole e i campi di mais tutt'intorno, ed era contento di ciò che vedeva. Specialmente di Spartan.

Lasciammo Spartan intento a fare da supervisore ai becchini mentre ricoprivano la fossa, e ci avviammo alla spicciolata verso l'uscita.

E a quel punto tutto andò storto.

Henty mi stava parlando, con le lacrime agli occhi e tenendomi entrambe le mani. È il matto del villaggio, ma io lo trovo più savio di tanti altri, anche se vive da solo e non sa né leggere né scrivere. Può dirti che tempo farà domani, senza mai sbagliare. E tutti gli animali vanno da lui.

Henty mi stava dicendo quello che tutti pensavano: «Tuo nonno doveva essere vegliato a casa sua, nel suo letto, e non consegnato a quelli delle pompe funebri...» quando arrivò mio padre con aria seccata e, senza nemmeno degnare Henty di un'occhiata, mi disse tra i denti che era ora di andare.

Salimmo sulla Mercury, tra gli sguardi di disapprovazione della gente del villaggio. Pensavano tutti che non fosse stato bello da parte nostra non organizzare un piccolo ricevimento d'addio a casa del nonno dopo il funerale, con sandwich al prosciutto, un goccio da bere, e tanti aneddoti, come quello della volta che una lepre era saltata sopra la testa del nonno in un campo di granturco...

Mentre andavamo dall'avvocato, mia madre disse: «Tra quanto potremo mettere in vendita la casa? Il mercato immobiliare diventa fiacco, in inverno.»

«Non saprei,» rispose mio padre. «Visto come crescono i prezzi delle case, potrebbe essere conveniente aspettare fino alla primavera...»

«E rischiare che venga occupata abusivamente?»

«Non è una zona di squatter.»

«Ma... e le cose del nonno?» obiettai dal sedile posteriore. «E Spartan?» La voce mi uscì come un flebile squittio. Sapevo già che non sarebbe servito a niente, prima ancora di parlare.

«Ho trovato un rigattiere che ha fatto una buona offerta per portarsi via tutto,» annunciò mia madre. «E ho chiamato la Protezione Animali perché venga a prendere Spartan.»

Come previsto, io non avevo voce in capitolo. Avrei anche potuto non esistere.

Il nonno avrebbe anche potuto non essere mai esistito.

E presto Spartan avrebbe cessato di esistere. Mia madre era efficiente. Aveva già inserito la data della morte del nonno nella sua filofax, così l'anno dopo avrebbe potuto telefonare ai giornali l'annuncio commemorativo per l'anniversario.

Dio, nonno, ma dove sei? Dovevi proprio farti ammazzare e lasciarmi con questi due... avvoltoi? E adesso che faccio io? Se pianto una grana, diranno che sono capricci da ragazzino. E se pianto una grana troppo grossa, probabilmente mi manderanno da uno strizzacervelli...

La voce del nonno risuonò nella mia testa. «Devi avere pazienza, Tim. Chi va piano va sano e va lontano!» Ma era solo un ricordo. Che può fare un ricordo contro degli avvoltoi?

«Non si potrebbe stringere, signor Makepeace?» chiese mio padre. «Ho un altro appuntamento alle quattro.»

Ah, sì, un impegno davvero irrevocabile. Doveva andare a giocare a squash con John Victor. Quello della Victor Enterprises. Un cliente molto importante. E mia madre di sicuro era impaziente di andare a sminuzzare e amalgamare nella sua galattica cucina iperaccessoriata, visto che gli orridi Southwark sarebbero venuti a cena.

Il signor Makepeace sbirciò da sopra i suoi mezzi occhiali, battendo un dito sul testamento del nonno. Era un vecchio amico di mio nonno. Andavano sempre a fare il tiro al piccione insieme. Avrebbe dovuto essere triste, ma invece sembrava un bambino che stesse per accendere un petardo. Ma non c'era proprio nessuno che fosse triste per il nonno?

Poi assunse un'espressione seria, adeguandosi al suo ruolo di legale di famiglia.

«Temo che quanto sto per dirvi per voi sarà abbastanza uno choc...»

«Uno choc?» domandò in fretta mia madre, con voce dura. «Che intende dire?»

Il signor Makepeace sembrava godersela un mondo, in cuor suo. Continuava a battere il dito sul testamento. Sembrava Jimmy Connors in procinto di servire un ace. O un terrorista che stesse caricando l'arma.

«Ha lasciato tutto al nipote.» Fece un cenno col capo nella mia direzione.

«Quel dannato vecchio pazzo!» sbottò mio padre, andando su tutte le furie.

«Lo vedremo,» sibilò mia madre.

«Il testamento è assolutamente valido,» li informò il signor Makepeace. «Era del tutto in possesso delle sue facoltà mentali quando ha dettato le sue volontà. Non è insolito che qualcuno nomini come unico erede un amato nipote.»

«Ma lui non è abbastanza grande,» replicò mia madre, come scacciando un moscone che avesse osato entrare nella sua perfetta cucina. «Non ci si può aspettare che si assuma una simile responsabilità.»

«Certamente dovremo gestire noi l'eredità per suo conto?» disse mio padre, speranzoso.

«Il ragazzo ha diciott'anni, se non sbaglio,» rispose il signor Makepeace.

«Questo è ridicolo,» si stizzì mia madre. «Dovrà pure esserci un modo...»

«Non c'è alcun modo di togliere l'eredità a vostro figlio,» affermò l'avvocato. «Il testamento è molto esplicito. Fornisce valide motivazioni. Volete che tali motivazioni siano rese pubbliche?»

Mia madre trasalì. Alpotton è una piccola città, e la gente chiacchiera. Le voci avrebbero potuto arrivare all'orecchio di qualche cliente, il che non sarebbe stato un bene per gli affari.

I miei genitori si voltarono a guardarmi. Avete presente quel tipo di sguardo? Quello da inizio della Terza Guerra Mondiale? Spero per voi di no. I miei sapevano che non avrebbero cavato un ragno dal buco con Makepeace, quindi stavano per buttarsi su di me. Mi avrebbero fatto una testa così per tutto il tragitto fino a casa. Per tutto il resto della mia vita, finché non avessi ceduto. Avreb-

bero potuto addirittura disdire qualche appuntamento per continuare a tartassarmi. Perfino John
Victor. Perfino gli orridi Southwark...

«Ora, vorrei parlare un momento con l'erede in
privato, se non vi dispiace,» disse il signor Makepeace. Per lui dovette essere un gran soddisfazione pronunciare quelle parole.

E per me fu un gran sollievo sentirle.

I miei genitori uscirono masticando amaro.
Sembravano la regina cattiva e il suo tirapiedi in
una brutta rappresentazione di Biancaneve e i
Sette Nani.

«Allora, giovanotto,» disse il signor Makepeace,
«come posso esserti di aiuto?»

«Per caso il suo studio ha un'altra uscita?» Era
una battuta. Umorismo agro. In realtà non nutrivo
alcuna speranza di potermi sottrarre alla prospettiva di essere torchiato fino a notte fonda. Sì, avrei
voluto salvare Spartan. Avrei voluto salvare la casa
e la roba del nonno. Ma ero troppo abbattuto,
troppo provato. Non avevo nemmeno avuto il
tempo di dire addio al nonno. Ucciso in un istante da un pirata della strada appena fuori del cancello di casa sua. Soltanto sessantasette anni.
Pieno di vita. Avrebbe potuto vivere ancora un'e-
ternità.

Mi avrebbero urlato contro a non finire, e avrei
fatto come volevano loro, alla fine. Era triste, ma
inevitabile.

«Sì, c'è un'altra uscita,» rispose inaspettatamente il notaio. «Sbuca sulla strada per Totton.»

Totton. Dove vive il nonno... cioè, dove viveva. Quattro miglia serpeggianti attraverso la campagna, ed ero lì. Lasciavo la bici appoggiata al cancello bianco. Risalivo il vialetto di mattoni tra le violacciocche. Il nonno apriva la porta. In qualche modo riusciva sempre a vedermi arrivare. Spartan gli si strusciava contro le gambe...

Mai più, ormai. Mai più. Dove sei, nonno?

«Se posso dare un suggerimento,» disse rispettosamente il signor Makepeace, «dovresti mettere al sicuro Spartan, il gatto. Una vicina, la signora Spivey, gli sta dando da mangiare due volte al giorno, ma... potrebbero essere stati presi accordi per levarlo di torno...»

Scattai in piedi. Quelli della Protezione Animali potevano arrivare da un momento all'altro. Spartan, disteso al sole sulla soglia di casa, così fiducioso...

«Devo chiamare un taxi?» domandò il signor Makepeace.

Frugai inutilmente nelle tasche della giacca e dei pantaloni. Per il funerale mi ero messo il mio abito migliore... in effetti, l'unico che avessi.

«Non ho soldi...»

«Sono pronto ad anticiparti un acconto. Penso che sia del tutto regolare. Vanno bene cento sterline, per le prime necessità?»

Guardai la sua vecchia faccia gentile. Lui mi strizzò l'occhio, come faceva il nonno. Chissà se aveva preso da lui quel modo di ammiccare. Sembrava che ne sapesse parecchio di come stavano le cose nella mia famiglia. Mio nonno doveva avergliene parlato.

Chiamò un taxi, dicendo di aspettare sulla strada per Totton. Mi fece firmare alcune carte, poi aprì con cura una vecchia cassetta di metallo e mi consegnò un sottile mazzo di banconote nuove, ancora con la fascetta marrone. Infine mi diede un foglio piegato, spesso e rigido.

«Questa è la tua copia del testamento. Non perderla, mi raccomando. E se ci fosse qualunque altra cosa che io posso fare per te, non esitare a telefonarmi, intesi?» Mi strinse la mano in un modo che mi fece sentire importante. «E ricorda, Tim: occupare una casa è già quasi averla per diritto...»

Uscendo, lanciai una rapida occhiata dalla finestra delle scale, verso la Mercury di famiglia parcheggiata fuori. Mio padre e mia madre stavano ancora urlando e gesticolando fra loro, come due Grandi Squali Bianchi che recitassero la preghiera prima del pasto.

Poi sgattaiolai lungo il vicolo posteriore. Il taxi mi stava aspettando sulla strada per Totton.

«Dove si va, giovanotto?» domandò l'anziano autista.

«Totton, Villino delle Rose,» risposi. «Vado a vivere con mio nonno. Si chiama Bill Wetherby.»

Pagai il tassista con il primo dei miei fruscianti

biglietti di banca, e per un momento sembrò quasi che quel che avevo detto fosse vero. Le splendide rose del nonno risplendevano nella luce obliqua del sole. C'era la sua vanga, ancora conficcata nel terreno, in fondo a una fila di patate. La sua canna dell'acqua di gomma verde era arrotolata sul vialetto di mattoni. E Spartan era seduto sulla soglia ad aspettare. Vedendomi, si alzò con la compita solennità di un maggiordomo e venne a ricevermi.

E poi una voce alle mie spalle disse: «È quello il gatto?»

Era l'accalappiacani. Il berretto e il furgone non lasciavano dubbi.

«Questo è il mio gatto,» affermai.

«Ho istruzioni precise,» replicò lui. «Questo è il Villino delle Rose, no? Quindi, dovrebbe essere quello il gatto nero che risponde al nome di Spartan...»

Fui lieto di avere il testamento da sventolargli davanti al naso. Battei con enfasi il dito sul paragrafo riguardante Spartan. Ma lui ancora non sembrava convinto.

«Mi sembri un po' troppo giovane,» osservò in tono dubbioso. Allora gli mostrai la mia patente di guida a conferma della mia identità, e gli dissi di telefonare al mio avvocato, il signor Makepeace. Ma non riuscivo a scrollarmelo di dosso. Mi guardai disperatamente attorno, cercando qualcosa con cui colpirlo. Un rastrello?

Ma proprio allora la signora Spivey accorse dall'altra parte della strada. Le spiegai tutto, e le mostrai il testamento.

«Sopprimere Spartan?» inorridì la vicina. «Il vecchio Spartan? Quel brav'uomo di tuo nonno si rivolterebbe nella tomba. Chi può avere ordinato una simile cattiveria?»

L'uomo consultò le sue carte. «Una certa signora Werherby, di Alpotton.»

«Quella donna è una pazza,» dichiarai. «Un'impicciona intrigante. Io la conosco bene. Sa solo procurare guai al prossimo.»

La signora Spivey annuì enfatica a tutto quel che dicevo.

«Non è benvista da queste parti,» aggiunse. «Niente affatto benvista.»

«Testamenti...» borbottò l'accalappiacani. «Ci sono sempre grane, con i testamenti...»

Poi finalmente se ne andò, scuotendo la testa.

La signora Spivey mi guardò con severità. «Non avresti dovuto dire quelle cose di tua madre, ragazzo...»

«Ma è la verità!» Alzai un po' la voce, ancora agitato.

«Sarà anche la verità,» insisté lei, «ma non avresti dovuto dirlo, tutto qui. Tu ci devi vivere...»

«No che non ci devo vivere!» sbottai in tono irritato.

«E allora che farai, ragazzo?»

Dopo che la vicina mi ebbe dato le chiavi e se

ne fu andata, entrai in casa, chiamai dentro Spartan, e chiusi la porta tirando tutti e due i catenacci. Poi rimasi in piedi nel corridoio, in preda a un tremito violento.

La pendola del nonno continuava a ticchettare ritmicamente, rassicurante. Lui doveva averla caricata quella domenica mattina, prima di morire. Ogni domenica mattina della sua vita la caricava, e regolava l'ora, perché restava indietro di tre minuti alla settimana. Presto si sarebbe fermata, e sarebbe stato come un'altra morte in casa. Non potevo sopportare che si fermasse. Presi la chiave dalla mensolina di fianco al quadrante e riavvolsi i grossi pesi fino in cima.

Mi sembrò di aver fatto una buona cosa. C'erano altre buone cose da fare? Tutt'a un tratto non riuscivo a connettere. È così che succede: il contraccolpo arriva all'improvviso. Me ne stavo lì impalato e tremante a fissare il riflesso del sole che entrava dalla finestra spostarsi lentamente sul lucido pavimento di linoleum.

Avrei potuto restare così per sempre, se Spartan non fosse venuto a salvarmi, reclamando da mangiare con quel suo miagolio esile, così strano in un gatto delle sue dimensioni.

Andai in cucina, gli misi il cibo nella scodella e lo guardai mangiare. Poi mi venne in mente che era ora di dare la pastura alle galline. Le galline mangiavano sempre dopo Spartan. Ma era un lavoro sporco, e io indossavo il mio unico vestito decente.

Dietro la porta della cucina era appesa una delle tute da lavoro del nonno. Feci un respiro profondo, mi tolsi in fretta il vestito e infilai la salopette e gli stivali di gomma del nonno, poi uscii in cortile. Diedi da mangiare alle galline, poi al maiale. Era una scrofa chiamata Hettie, e il nonno l'aveva da secoli. Vendeva i maialini per l'ingrasso, ma aveva sempre giurato che la vecchia Hettie sarebbe morta nel suo porcile. E così sarebbe stato! Le grattai il dorso quando me lo chiese, e le parlai come faceva il nonno. Sembrava contenta di vedermi; doveva sentirsi sola senza il nonno, anche lei come me.

C'era una tale quiete, là fuori. Ascoltai il ronzio delle mosche nel sole del pomeriggio, e all'improvviso avvertii un gran senso di pace. Ero sicuro che il nonno fosse là a guardare. E che era contento di me, vedendo che avevo accudito tutti i suoi animali. Mi sentivo immensamente meglio; avevo perfino fame, per la prima volta in tutta la settimana. Andai in cucina e tirai fuori dal frigorifero del bacon affettato; una confezione che lui aveva aperto. Poi presi una scatola di fagioli da una mensola e li cucinai. Infine mi sedetti a tavola al suo posto a mangiare il suo cibo, con indosso la sua salopette. Ed era tutto perfetto. Mi sentivo così felice che mi misi a cantare. Una delle sue vecchie canzoni. Di Sir Harry Lauder.

Keep right on to the end of the road,
keep right on to the end.

*Though the way be long, let your heart be
strong,
Keep right on round the bend...*

E poi scoppiai a piangere. Gesù, è terribile quando muore qualcuno che ami. Ti senti come se stessi pilotando un aereo in mezzo a una tempesta, con una masnada di pazzi furiosi come passeggeri.

Ma il vecchio Spartan mi saltò sulle ginocchia e si protese a leccarmi via le lacrime dal naso, con la massima calma. Poi sistemò la sua enorme mole sul mio grembo, con grande attenzione al suo personale comfort. Lo accarezzai, e andò di nuovo meglio.

Fu allora che credetti di avere capito che cosa il nonno voleva veramente da me. Soltanto che mandassi tutto avanti come prima, quando c'era lui a occuparsene. Così avrebbe potuto capitare lì in qualunque momento e trovare ogni cosa a posto. Sembrava un'ambizione perfettamente giusta.

Poi il telefono squillò nell'anticamera.

Era mia madre.

«Ah, sei là. Ci hai fatti preoccupare da morire!»

«Abbastanza da far disdire a papà la sua partita a squash? Abbastanza da disdire la cena con i Southwark?» replicai in tono maligno, nient'affatto impietosito.

«Non essere offensivo. Abbiamo disdetto questo e altro!»

«Stronzate.»

«Allora, quando torni a casa? Verrà a prenderti papà.»

«Digli di non sprecare il suo prezioso tempo. Io resto qui, a mandare avanti le cose per il nonno.»

«Non essere sciocco. Tra sei settimane andrai all'università!»

«Ne dubito.»

«Sei uscito di senno? E il tuo futuro?»

«Al diavolo il mio futuro.»

«Su, cerca di ragionare. Di che cosa vivrai?»

«Del denaro del nonno. Me ne ha lasciato a palate.»

Non era precisamente vero. Soltanto diecimila sterline investite nella cooperativa edilizia locale. Ma mi andava di lasciarle credere che avessi ereditato una fortuna, giusto perché si rodesse un po' il fegato. Mia madre è molto sensibile all'argomento quattrini.

«Ascolta, io sono tua madre...»

«Non ricordarmelo.»

Ci fu un lungo, malevolo silenzio. Infine disse: «Credo che tu sia impazzito,» e riattaccò.

Per un po' gongolai per come l'avevo messa a posto. Poi però mi sentii gelare. Sarebbe stato proprio nel loro interesse far credere a tutti che io fossi veramente ammattito. Allora avrebbero potuto farmi interdire e mettere le grinfie sull'eredità... Be', avrei preso le mie contromisure. Guardai l'orologio: le sette.

Il dottor Marsden doveva essere in studio. Era stato il medico del nonno, e un altro dei suoi vecchi amici. Ogni settimana riceveva uova fresche in dono. E non era mancato al funerale.

Gli telefonai, e mi disse di andare subito da lui. Sapevo che fino al giorno dopo avrei potuto stare tranquillo: mia madre mi avrebbe lasciato "decantare", come diceva lei.

Il dottor Marsden fu molto caro. Mi lasciò tirare fuori tutto, senza interrompermi finché ebbi finito.

Poi disse: «Non penso assolutamente che tu sia matto, ragazzo mio, considerato quello che stai passando. Tuo nonno aveva una massima che lo aiutò molto quando perse tua nonna. Diceva sempre: "Si diventa un po' più forti ogni giorno."»

«Già,» annuii. «Era saggio, il nonno.»

«Ad ogni modo,» concluse il dottor Marsden, alzandosi, «sforzati di mangiare con regolarità, e tieniti occupato con l'orto. Probabilmente ci sarà parecchio da fare, grande com'è. E cerca di dormire a sufficienza. Se avessi difficoltà a dormire, torna da me, ed eventualmente ti darò qualcosa. Ripassa tra una settimana, comunque. Mi ha fatto piacere fare questa chiacchierata con te.»

Mi accompagnò all'uscita. Fuori della porta, annusò l'aria che andava rinfrescandosi e guardò il tramonto. «Domani sarà una bella giornata.»

«Arrivederci, allora,» lo salutai, sentendomi molto meglio.

«Forse non dovrei dirlo, ma...» aggiunse lui.

Ebbe un attimo di esitazione, poi continuò: «Tuo nonno è sempre stato molto preoccupato per tuo padre. Tanto più dopo che ha sposato tua madre. E si preoccupava molto per te. Ma non penso che avesse motivo di darsi pensiero per te, ragazzo.»

Fu strano, quando arrivai a casa. Spartan non mi venne incontro, nemmeno quando lo chiamai. Pensai che fosse uscito, ma quando entrai nella cucina immersa nell'oscurità del crepuscolo e accesi la luce, lo vidi seduto sul vecchio tappeto consunto davanti al focolare. Stava fissando la sedia del nonno, con uno sguardo così intento che mi convinsi che il nonno era seduto lì, al suo solito posto. A dire il vero, non mi piacque un granché. Un conto è desiderare che una persona cara torni dall'aldilà, e un conto è se lo fa davvero. Voglio dire, non potevo vederlo. Né udirlo. Il suo odore aleggiava nell'aria, ma poteva essere semplicemente quello delle sue cose, accentuato dalla giornata calda.

Era... intollerabile. Non riuscivo nemmeno a muovermi. Ma non potevo restare lì impalato per sempre, o sarei impazzito.

Il punto era: amavo il nonno, vivo o morto che fosse, oppure no?

Non potevo sopportare di non amarlo. Così, trassi un lungo respiro tremante e andai a sedermi sulla sua poltrona.

Fu strano. Era come se mi fossi seduto sul

nonno; un po' come quando mi sedevo sulle sue ginocchia da piccolo. Un po' come se il nonno fosse un bagno fresco, e io mi ci stessi immergendo. O lui fluisse dentro di me, diventando un tutt'uno.

Ebbi ancora un brivido, e fu finito. Forse io e il nonno ci eravamo fusi l'uno nell'altro.

Comunque, Spartan sembrava compiaciuto. Venne ad accoccolarmisi in grembo, facendo le fusa, come faceva col nonno tutte le sere.

Mi addormentai lì, con Spartan sulle ginocchia. E sognai il nonno. Lui entrava dalla porta come se niente fosse, io alzavo lo sguardo, e lui mi sorrideva nel suo modo di sempre. E io gli dicevo, "Ehi, ma non eri morto?" E lui rispondeva: "È quel che credono tutti," e ridevamo entrambi. Poi lui usciva in cortile per accudire Hettie, e il sogno finiva lì.

Mi svegliai con il collo indolenzito. Erano le dieci: ora di andare a letto. Nel letto del nonno, perché il mio non era fatto, ed ero troppo stanco per prepararlo adesso.

Spartan venne con me e si raggomitolò al suo solito posto sul copriletto, e mi addormentai tranquillo.

Mi svegliai verso le sei, come sempre a casa del nonno. Infatti era a quell'ora che iniziava la sua giornata in estate. Ancora intontito dal sonno, aspettai di sentire lo scricchiolio delle scale sotto i suoi piedi scalzi mentre scendeva in cucina a prepararsi una tazza di tè, e la tossetta stizzosa che aveva sempre al mattino, perché fumava.

Poi la tetra realtà si affacciò alla mia mente, e mi resi conto che avrei potuto restare in ascolto quanto volevo, ma non avrei mai più sentito i suoi passi o i suoi colpetti di tosse.

Dovetti farmi forza per alzarmi dal letto, ma dopo essermi lavato mi sentii già più un essere umano, e come aveva predetto il dottore era una giornata splendida, e c'era effettivamente parecchio lavoro che mi aspettava nell'orto.

Inoltre, quando fossero arrivati Dracula e signora, sarebbe stato meglio riceverli in giardino, con le porte di casa ben chiuse dietro di me e le chiavi nascoste nel posto che solo io e il nonno conoscevamo. In tal modo, se si fossero messi ad urlarmi contro, come era inevitabile che andasse a finire, sarebbe stato in pubblico, con mezzo villaggio a guardare dalle finestre, il che avrebbe impedito loro di trascendere più di tanto.

Dopo aver lavato le stoviglie della colazione e quelle della sera prima, indossai la tenuta da lavoro del nonno: una camicia a righe senza colletto, la salopette e gli stivali, e come ultimo tocco il suo vecchio panama col buco sul cocuzzolo.

Nell'orto, cominciai da dove lui aveva lasciato il giorno in cui era morto. Stava tirando fuori dalla terra le sue patate, che poi avrebbe conservato nel piccolo granaio. E ormai sarebbe già passato a occuparsi dell'ultimo raccolto di piattoni, scottandoli prima di metterli in freezer, e ammucchiando le stoppie insieme alle altre, per arderle quando se ne fossero accumulate abbastanza. Sapevo esattamente che cosa dovevo fare; lo avevo aiutato tante volte, da quando ero bambino.

Ero a buon punto, e tutto sudato, quando sentii la Mercury arrivare quasi furtivamente, e poi il rumore del freno a mano tirato. Continuai a lavorare, facendo finta di niente. Ero a testa china, intento a estirpare una pianta di patate e scuoterne via la terra, quando udii il cigolio del cancello. Poi il suono di un grido strozzato in gola mi fece alzare lo sguardo.

Mio padre era aggrappato al cancello con tutt'e due le mani, tanto convulsamente che gli si erano sbiancate le nocche, e boccheggiava come un pesce senz'acqua. Notai anche che aveva un colorito stranamente verdognolo.

«Ciao,» dissi. «Qualcosa non va? Sembri uno che ha visto un fantasma...»

Poi mi resi conto che doveva averlo visto. Io ho esattamente la stessa corporatura del nonno, alta e magra. E con la testa bassa...

«Ti dispiace se mi siedo?» riuscì finalmente a esalare.

Gli indicai la vecchia panca da giardino in ferro battuto smaltato di bianco. Si mise a sedere, e io mi sedetti accanto a lui. Ero un po' preoccupato. Era pallido da fare spavento, e sembrava avesse serie difficoltà a spiccicare parola.

«Sei venuto da solo?» gli domandai.

«Tua madre sta aspettando in macchina. Pensavo che avremmo potuto parlare un po' con calma, tu e io.»

Il solito vecchio trucco. In una situazione di crisi, mia madre fa il poliziotto cattivo, duro e prepotente, e mio padre il poliziotto buono, comprensivo e ragionevole. Lei ci riesce molto bene; lui mica tanto.

«Non possiamo andare avanti così, Tim. Non è naturale.»

«Sì che lo è. Tu hai voltato le spalle al nonno, e io le volto a te.»

Lui ebbe il buon gusto di trasalire. «Tuo nonno e tua madre non andavano d'accordo.»

«Allora eravamo in due.»

«Tim, tu non capisci. Io ero preso in mezzo...»

«Non ci sei rimasto per molto, nel mezzo. Gli hai voltato le spalle. Non venivi mai a trovarlo. Lui era tuo padre!»

«Tim, io non potevo restare qui. Avevo da fare la mia strada nel mondo...»

«Bene. Tu hai fatto la tua, e io farò la mia.»

«Ma se non vai all'università...»

«Non farà un bell'effetto ai vostri cocktail domenicali, vero?» commentai amaramente. «Un conto è dire che vostro figlio è all'università, e un conto dire che è un coltivatore diretto.»

«Non vorrai davvero...»

«Puoi giurarci.»

«Tu sei matto. Lo diceva tua madre, che sarebbe stato inutile cercare di farti ragionare.»

«Be', allora ne ha detta una giusta, una volta tanto. Adesso sparisci. E dille che non tornerò a casa. Né per te, né per lei.»

Lui si alzò e marciò verso il cancello. Poi si volse e sembrò afflosciarsi. Si appese di nuovo al cancello. «Tim, non possiamo discuterne serenamente?»

In fondo ero dispiaciuto per lui.

«Non con lei nei paraggi,» risposi. «Prova a venire da solo, qualche volta.»

Lui storse la bocca in qualcosa a metà tra un sorriso e una smorfia, poi scomparve dietro la siepe. Non lo invidiavo, visto che doveva tornare da mia madre sconfitto.

Mi preparai a sostenere il vero assalto, dopo quella piccola scaramuccia, ma il nemico optò per una momentanea ritirata. Dopo qualche momento la Mercury partì rombando, con mia madre alla guida. Passando, mi lanciò un'occhiata sconcertante.

La rabbia me l'aspettavo, ma non la paura.

Nei giorni che seguirono mi adattai ai ritmi del nonno. Ero stato a trovarlo così spesso nel corso degli anni che ormai sapevo a memoria che cosa avrebbe fatto lui in un dato orario. Raccolsi gli ultimi pomodori nella sua serra, legai le foglie intorno alle teste dei cavolfiori in modo che non diventassero verdi, potai le rose. Aveva uno di quei deliziosi giardini di campagna di una volta, in cui ortaggi e fiori crescono insieme in allegra armonia. Portai perfino i prodotti alla mostra del paese, vincendo diversi premi. Il merito era del nonno, non certo mio. Ma volevo che tutti sapessero che intendevo restare. La gente cominciò a venire a comprare le uova e a portare piccoli omaggi: frutta appena colta, conigli selvatici presi a caccia: come faceva con il nonno, e io ricambiavo i regali, come avrebbe fatto lui.

Nessuno in paese trovava strano che io vivessi là. Per quel che li riguardava, quella era la casa di Bill Wetherby, ed era del tutto logico che adesso ci stesse il nipote. E chi, se no?

In quello sfolgorante settembre, la mia vecchia vita si fece sempre più sbiadita. Però ebbi il buon senso di scrivere a Cambridge per informare il mio consigliere didattico che avevo ereditato la proprietà di campagna di mio nonno, ed ero troppo impegnato ad occuparmene per andare al college quell'anno. Lui mi rispose con una lettera molto civile, dicendo che avrei solo potuto maturare assumendomi personalmente le responsabilità di un proprietario terriero per un po', e che se avessi voluto avrei potuto presentare nuovamente la domanda l'anno successivo. Ovviamente non poteva supporre che il nonno aveva soltanto un acro di giardino, un acro di frutteto, e un acro di campo per Hettie. Ad ogni modo, si congratulava con me per gli ottimi voti con cui mi ero diplomato...

Ma tutto questo era meno importante dei parassiti sui cavoletti di Bruxelles che Arthur Digby mi aveva fatto notare mentre stava seduto sulla panchina bianca del nonno, durante una delle sue visite quotidiane per assicurarsi che stessi facendo tutto per bene. Tutti i vecchi del villaggio sembravano essersi nominati miei supervisori. Comunque, la cosa non mi dispiaceva. Non avevo modo di sentirmi solo, ve lo assicuro. E poi mi raccontavano tanti episodi della vita del nonno. Come quando, durante la guerra, si era messo addosso un lenzuolo bianco e aveva spaventato a morte gli avieri americani che si erano infrattati nei campi con le ragazze del villaggio. O le imprese di Spartan quando era giovane, come quella volta che aveva fatto vedere i sorci verdi al grosso cane lupo che faceva la guardia al campo d'aviazione.

Venni perfino invitato ad entrare nel Club dei Giovani Fattori...

Mia madre non si fece vedere una sola volta. Ma papà faceva un salto di tanto in tanto, e presi l'abitudine di tenere qualche birra in frigorifero, da bere con lui mentre stavamo seduti sulla panchina in giardino, senza mai trovare molto di cui parlare eccetto l'andamento delle rape.

«Ho visto che c'era tuo padre, ieri sera,» commentava il vecchio Arthur il mattino dopo. «Lo dicevamo tutti che non si sarebbe mai sistemato... non come te, ragazzo. A proposito, stai già pensando a trovarti una brava ragazza da sposare?»

Ma non sarei arrivato a sistemarmi fino a quel punto.

Era un crepuscolo di inizio ottobre. Stavo estirpando gramigna e pianticelle di sambuco per tenere il prato in ordine, lavorando alla luce proveniente dalla porta d'ingresso aperta e dalla finestra del soggiorno. Spartan mi osservava attento, tirando zampate alla terra che sollevavo strappando le erbacce. Poi all'improvviso emise uno strano ringhio, fissando il cancello. Sul serio, mi fece rizzare i capelli. Alzai lo sguardo, aspettandomi di vedere il nonno. Ci si continua ad aspettare cose del genere.

Ma non c'era nessuno; solo il suono di passi che si avvicinavano lungo la strada. Passi femminili, e non di una donna del paese. Un rapido, nervoso ticchettio di tacchi.

Una donna alta si affacciò a guardare da sopra il cancello. Una di fuori: ormai conoscevo tutti in paese.

Raddrizzai la schiena e mi ripulii le mani sporche di terra sulla salopette del nonno. Ero nella mia tenuta da nonno-al-lavoro, come al solito.

«Oh, grazie a Dio sta bene!» esclamò la donna.

«Sto bene?» Ero totalmente confuso.

«Lei è l'uomo che ho quasi investito. In agosto. L'ho vista solo di sfuggita, ma ricordo la tuta e il cappello... il cappello le era caduto.»

«Io non ero qui, in agosto. Doveva essere mio nonno.»

«Suo nonno? E... sta bene?»

«No. È morto.»

Lei diede un piccolo grido e si aggrappò al cancello con tutt'e due le mani. Credetti che stesse per svenire.

«Sarà meglio che venga dentro,» le dissi. «Vuole un bicchier d'acqua?» In parte ero dispiaciuto per lei, e in parte volevo che entrasse per poterle chiedere quel che mi premeva sapere.

La feci accomodare sulla poltrona del nonno e le presi un bicchiere d'acqua. Lei si sedette e bevve a piccoli sorsi, battendo i denti tra uno e l'altro. Non avrei mai immaginato che il pirata della strada potesse avere il suo aspetto. Non so perché, ma avevo sempre pensato a un qualche ragazzotto ubriaco. Qualcuno a cui avrei potuto fare ingoiare i denti se mai me lo fossi trovato tra le mani, il che sembrava improbabile.

«Come... come è morto tuo nonno?» trovò finalmente il coraggio di chiedere.

«È stato investito da qualcuno che non si è fermato, il sedici di agosto, verso le cinque. Proprio davanti a questa casa.»

«Oh, mio Dio,» gemette, stringendo il bicchiere fra le mani tanto forte che pensavo si sarebbe rotto.

«Com'è successo?» le domandai.

«Stavo guidando col finestrino abbassato, e mi è entrato un moscerino in un occhio. Ho sbandato, e mi è sembrato di aver mancato per un pelo un uomo con una tuta da lavoro e un cappello bianco proprio come quelli che hai addosso. Non c'era stato un botto né niente, così non mi sono fermata. Ma poi, quando siamo arrivate a casa, la mia bambina, che era seduta dietro, mi ha detto: "Il signore con il cappello bianco è caduto." I notiziari e i giornali non ne dicevano niente. Ma da allora, ho avuto questo tarlo nella testa... Alla fine ho dovuto venire qui da Birmingham per sincerarmi di come stavano le cose.»

«Be', allora adesso sarà contenta.» Lo dissi con odio. Ma subito dopo me ne pentii. Avete mai visto qualcuno andare in pezzi? Dico, realmente andare in pezzi? Piangere tanto che non riesci a farlo smettere, qualunque cosa tu dica o faccia? Singhiozzare fino a soffocarsi? Ero partito pensando di mandarla in prigione, e mi ritrovai a pensare che avrei dovuto portarla all'ospedale.

Dopo un tempo interminabile, finalmente il suo pianto dirotto si placò, lasciandola ad aspirare tremule boccate d'aria.

E poi Spartan, che era accovacciato sul tappeto accanto a me, fece una cosa dannatamente buffa. Emise di nuovo quello strano suono di gola e le saltò sulle ginocchia, leccandole via le lacrime dal naso. Lei lo abbracciò, stringendolo forte, affondando le dita contratte nella sua pelliccia, quasi come se volesse strangolarlo. Ma lui continuò a fare le fusa, imperturbato.

Sentii che era di nuovo il nonno. Il nonno che perdonava la donna che lo aveva ucciso.

E se il nonno la perdonava, chi ero io per puntarle contro l'indice accusatore?

Così dissi: «Lei lo aveva preso solo di striscio. Aveva appena una piccola contusione su un ginocchio. Ma ha perso l'equilibrio e ha sbattuto la testa contro lo spigolo del marciapiede. È stato il marciapiede a ucciderlo. Se non ci fosse stato il marciapiede, non sarebbe morto.»

Lei mi fissò con gli occhi sbarrati. «Devo andare a costituirmi alla polizia.»

«E a che scopo? Ormai è morto. Non servirebbe certo a riportarlo indietro. Non è stata colpa sua, se le è entrato un moscerino in un occhio. Sarebbe potuto succedere a chiunque.» Non so che cosa mi spinse a dirlo; fatto sta che lo dissi.

Dopo parlammo a lungo. Io le dissi tutto del nonno, di che brava persona fosse stata, e di come mancasse a tutti. Poi le raccontai molte storie su di lui, inclusa quella della volta che la lepre gli saltò sopra la testa in un campo di mais.

E lei pianse per lui. Come né mio padre né mia madre avevano pianto. Quella sera fu la vera festicciola di commiato per il nonno, a casa sua, dopo il funerale.

Verso le dieci lei telefonò al marito per avvertirlo

che si sarebbe fermata per la notte, e continuammo a parlare fin quasi alle due del mattino, come si conveniva a una commemorazione in piena regola. Poi le mostrai la camera da letto del nonno, e io andai a dormire sul divano del soggiorno.

Il mattino dopo lei mi diede il suo indirizzo. Se mai avessi cambiato idea, lei era pronta a presentarsi alla polizia in qualunque momento.

Ma non ho mai cambiato idea.

Passai l'intero inverno da mio nonno, svegliandomi in quella casa buia e fredda dove al mattino dovevo rompere il ghiaccio che si era formato nell'acquaio della cucina; leggendo fino a tardi mentre il carbone si consumava nella cucina economica; dando la pastura alle galline nell'aia coperta di neve; andando a dormire con il vecchio Spartan.

E poi la primavera, guardando i germogli spuntare nell'orto. Qualcosa lo aveva piantato il nonno, qualcosa lo avevo piantato io, e tutto cresceva insieme a meraviglia.

Infine arrivò l'estate, e io cominciai a preoccuparmi per Spartan. Non aveva niente in particolare che non andasse; ma era come svogliato. Dormiva di più, e mangiava di meno. Diventò magro. Lo portai dal veterinario, e lui gli guardò i denti e domandò quanti anni aveva.

Non lo sapevo. Spartan c'era sempre stato, da che avevo memoria.

«Diciannove anni è una bella età per qualsiasi gatto,» disse il veterinario. «Ma tienilo al caldo e dagli queste vitamine, e potrebbe tirare avanti ancora un po'.»

Nemmeno mi ero accorto della sua assenza, quando infine se ne andò. Ero di nuovo alle prese con il raccolto delle patate quando Arthur Digby si affacciò al mio cancello.

«Verresti con me a dare un'occhiata al vecchio Spartan? Ho appena incontrato il becchino, e dice che lo ha visto sdraiato sulla tomba di tuo nonno.»

Corsi al camposanto con lui, ma arrivai troppo tardi. Spartan era morto, raggomitolato sull'erba che era cresciuta sul cumulo di terra sotto il quale era sepolto il nonno. Morto, ma ancora caldo. Toccai il suo pelo nero un po' ingrigito, e piansi forte, come avevo pianto per il nonno.

«Il becchino ha detto che vedeva spesso il vecchio Spartan seduto sulla tomba di tuo nonno. Ogni mattina e ogni sera. Sembra che tuo nonno lo abbia chiamato a casa, alla fine.»

Prendemmo una pala e lo sotterrammo di nascosto con il nonno. Nessuno avrebbe avuto da ridire, in ogni caso.

Quando tornammo al Villino delle Rose, sembrava vuoto. Spartan non c'era più, e non si sentiva più nemmeno la presenza del nonno. Diedi una birra ad Arthur, e ne presi una per me. Brindammo a Spartan, dandogli l'addio come si conveniva, raccontando le vecchie storie...

All'improvviso, saltando di palo in frasca, Arthur disse: «Andrai all'università quest'anno, ragazzo? Tuo nonno ne parlava sempre. Era così orgoglioso che suo nipote andasse al college...»

Era come se il nonno, avendo perso Spartan come suo portavoce, avesse usato Arthur come tramite.

Era ora di andare. Avevo vissuto da lui per un anno intero. Adesso il ciclo si era concluso, ed era ora di andare.

E finalmente fui pronto a dar via la sua roba. Arthur fu felice di prendersi la vecchia Hettie, che a quanto diceva lui stava aspettando dei maialini. E la signora Spivey accettò con gioia le galline. Avevo dato a Arthur anche i vestiti del nonno, e poco dopo lo vidi tornare per portarmi un libriccino che aveva trovato in una tasca di una vecchia giacca.

Lo aprii. Era un diario datato 1969, scritto nella grafia piccola e spigolosa del nonno. Incuriosito, lo sfogliai, e mi cadde lo sguardo sulle parole "preoccupato per il ragazzo..."

Ma io non ero nemmeno nato, nel 1969!

Poi mi resi conto che il ragazzo era mio padre.

Le pagine erano colme dell'ansia del nonno. Il ragazzo sentiva la mancanza della madre. Il ragazzo era irrequieto. Il ragazzo correva troppo con la sua motocicletta. Andava in città troppo spesso. Frequentava il tipo di ragazze sbagliato. Forse era troppo duro col ragazzo? Perché non riusciva più a parlare con lui?

E poi la ragazza era incinta. Il ragazzo doveva assumersi le sue responsabilità. Doveva sposare la ragazza. Doveva rinunciare al college e lavorare per mantenerla. Anche se non lo avrebbe meritato, una come quella...

L'ultima annotazione dell'anno diceva: "Ho fallito. Ho fallito con tutti e due. I tempi sono cambiati, e io non sono cambiato con loro..."

Nient'altro. Il diario finiva con quelle parole.

E così, mi aveva affidato un ultimo compito. Il "ragazzo" sembrava stranamente propenso a parlare con me. Il nonno mi aveva tirato fuori dal pasticcio a casa; adesso mi stava chiedendo di rientrarci.

Ma con gli occhi bene aperti.

Chiusi la porta della mia casa e passai dal cimitero a fare un saluto al nonno.

E al gatto Spartan.

Misteriose presenze

*Nella mia intensa ammirazione per l'opera
di Robert Westall, sulla quale ho più volte già
scritto, mentre la sua morte mi ha addolorato
come quella di un amico ad un tempo ignoto
e amato, era compresa la sicurezza che lui
amasse i gatti. Così, nel leggere questi racconti
a loro dedicati, ho anche riflettuto, perché amo
i gatti anche io, su che cosa caratterizza davvero
le persone che possiedono questo tratto
inconfondibile e distintivo della loro sensibilità.
In uno dei racconti è descritto il rapporto
che lega un preside di scuola media,
un cinquantenne dotato di senso dell'umorismo
e di rassegnata accettazione dell'esistente,
alla gatta Rama che entra nella sua vita
tra mistero, passione, incertezza, amore.
Il colloquio tanto incerto e tanto serrato tra
Rama e il preside è quello proprio di tutti
gli amatori di gatti con questi loro amici.
Sappiamo che sono lì, ne avvertiamo il contatto
fisico, a volte anche lo subiamo perché ci viene*

imposto con dittatoriale prepotenza, siamo presi
da un rapporto perfino esclusivo, ma tutto
si conclude quasi con un'improvvisa svolta
dell'esistenza: l'amico appassionato che, tra fusa
vibranti e pressioni delle zampine sul nostro
ventre pretendeva affetto, attenzione, interesse,
ha fatto un salto, ci ha lasciati, cammina via
per i fatti suoi come se non ci avesse
mai conosciuti.
Da pedagogista quale sono ho meditato
su un certo tema e ora ho una quasi certezza:
il rapporto con i gatti è molto educativo,
può dare moltissimo in termini di affinamento
dello spirito e di crescita della personalità.
Tra le grandi raffigurazioni dei gatti, sublime
è quella di Krazy Kat, la gattina folle che non
accetta l'amore appassionato del Topo Ignazio
nel finissimo fumetto di Herrimann. In Krazy Kat,
nei suoi mirabili disegni definiti da un pennino
tanto sapiente, tanto bizzarro, da stupire per
la sua complessità, c'è proprio l'anima del gatto.
Un grande scrittore, e grande amico dei gatti,
Victor Hugo, ha scritto che Dio ha creato il gatto
perché l'uomo potesse accarezzare una tigre.
L'attenzione va messa sul verbo potesse:
il gatto ci regala alcune possibilità, in questo
suo dono sta il significato educativo
del rapporto con il gatto.
Ci insegna ad accettare la sorpresa,
l'imprevedibile, il non programmabile: sui cani
si fanno certi conti, si fa come un bilancio

di previsione, ma dal gatto ci si può attendere
di tutto e il colloquio che abbiamo con lui
è aperto, nel senso più vero e ampio
del termine, perché include continui
cambiamenti, passaggi ad altri stimoli, risposte
non preventivate. Dico che tutto questo è
educativo perché la società, il mondo,
il momento storico che stiamo vivendo,
il nostro modo di vedere le cose, tutto,
insomma, è permeato di provvisorietà,
di imprevedibilità. Il gatto ci allena ad essere
più disponibili, ad accettare con curiosa
aspettativa tutto quanto è sorpresa, stranezza,
incertezza.
Ma il gatto però ci invia anche un altro
messaggio: sotto la superficie del capriccio,
sotto le manifestazioni bizzarre alla Krazy Kat,
il gatto nasconde una coerenza assoluta,
una dedizione senza limiti, un attaccamento
che non subisce attenuazioni. E anche in questo
atteggiamento è nascosto un insegnamento:
il gatto ci dice di non fermarci alle apparenze,
di guardare sempre con un'ottica attenta
e convinta, di superare gli stereotipi. Infatti, dopo
anni di osservazione, dopo aver accumulato
indizi su indizi, dopo esserci anche sentiti delusi
e seccati, un giorno improvvisamente
comprendiamo di essere al centro del mondo
in cui vive il nostro gatto. Mettendo insieme tanti
piccoli fatti noi capiamo di contare, per lui, come
nessun altro essere, persona, avvenimento.

Siamo lì perché tutto così acquista senso.
E allora diamo un nuovo significato a tanti gesti
e a tanti comportamenti. Siamo noi che lo
abbiamo deluso, noi che non eravamo pronti,
noi che guardavamo solo in superficie.
Negli splendidi, e unici, racconti che Westall
ha collocato in questo libro ritorna il grande
narratore che ha saputo congiungere, come
nessun altro, la guerra e l'adolescenza.
Si trattava, anche in quel caso, di superare
gli stereotipi di andare oltre le apparenze.
E dopo anni di lagne, di buone intenzioni,
di pacifismi mielosi densi di ipocrisie, Westall
aveva invece meditato sul modo speciale
che hanno gli adolescenti di vivere la guerra.
Da un'incerta, nebulosa nemica su cui si
scaricavano quintali di buone intenzioni,
si passava a una Guerra Severa Maestra che si
assegnava una cattedra sanguinosa
ma formidabile, da cui rendeva uomini i ragazzi
e le fanciulle donne. La guerra di Westall
prevede uno sguardo che coglie davvero
significati profondi, che non segue itinerari
previsti.
È anche lo sguardo con cui guarda i gatti
in queste splendide storie. Non ne scioglie
il mistero, anzi lo rende più profondo.Come
nel caso dell'emblematica storia d'amore
tra la gatta Rama e il signor preside
cinquantenne, si assiste a un incontro
che ha remote radici. Il gatto ci conduce

comunque verso una remota lontananza, chissà,
verso quell'Egitto in cui pare si sia compiuto
(o per nulla compiuto) il suo frettoloso e incerto
addomesticamento, quando si ebbe bisogno
subito di lui per far fuori i roditori che
distruggevano i granai e preparavano le carestie.
Tutti i gatti di Westall provengono da molto
lontano, l'atmosfera che li circonda è spesso
quella del racconto di fantasmi. Ma sono
fantasmi di Westall, quindi speciali anche loro.
Il gatto, vecchio amico delle streghe, porta come
loro i segni inequivocabili di una persecuzione
ancestrale. C'è la fame, c'è il cumulo di rifiuti,
abbondante nella stagione della villeggiatura,
esiguo d'inverno. C'è l'incomprensione
e c'è il passaggio, come nel gatto con due nomi
conteso tra un ragazzo e una ragazza
non destinati a stare insieme per la vita.
I gatti di Westall sono descritti con precisione,
nascono da vera osservazione paziente.
Ma sono certo anche metafore, sono un modo
per parlare d'altro. E questo altro è ciò che
abbiamo dentro di più intenso e segreto: il senso
del nostro esistere, il mistero del mondo,
il disagio del vivere.
Ci sono anche tanti appuntamenti mancati,
perché la vita ne è colma. Non si dovrebbe
mancare mai l'appuntamento con quegli occhi
verdi, spropositati in rapporto al musino,
di quel povero micio affamato dietro al
cassonetto dei rifiuti, il quale sussurra che,

malgrado le apparenze, con buon rispetto,
ben oltre la prima impresione, lui è nostro
e noi siamo suoi.

ANTONIO FAETI

Indice

I Delfini Fabbri Editori

Premio Andersen
Il Mondo Dell'Infanzia 1994

Finito di stampare nel mese di settembre 2000
presso TIP.LE.CO
via S. Salotti, 37 -S. Bonico (PC)

ISBN 88-451-2250-6